HOEVEEL BORDJES?

Bruno Vanspauwen

Hoeveel bordjes?

Incognito aan tafel:
het (bijna) verborgen leven van een
restaurantcriticus

Uitgeverij
VRIJ
DAG

juni 2011

© 2010 – Bruno Vanspauwen & Uitgeverij Vrijdag
Sint-Elisabethstraat 38a – 2060 Antwerpen
www.uitgeverijvrijdag.be

Omslagontwerp: Paul Van Biesen
Vormgeving: theSWitch, Antwerpen

NUR 440
ISBN 978 94 6001 102 3
D/2010/11.676/99

1. Hoeveel bordjes?

'Hoeveel bordjes gaan we krijgen?'

De eigenares van het restaurant, die zelf instaat voor de bediening, geeft me de kredietkaart terug waarmee ik heb betaald. Daarop heeft ze ongetwijfeld mijn naam zien staan. En zo heeft ze de link gelegd met de restaurantrubriek in *De Standaard Magazine*.

Als ik uit eten ga, komt op het einde van de maaltijd steevast de vraag van mijn tafelgenoten: 'En? Hoeveel bordjes zou je dit geven?'

Ik krijg het ook te horen van mijn kinderen, familieleden en vrienden nadat ik een restaurant heb bezocht: 'Hoeveel bordjes?'

Het heeft me zelf verbaasd hoe snel die 'bordjes' een begrip werden. Toen ik dit quoteringssysteem voorstelde aan *De Standaard Magazine*, zat er immers geen bewuste strategie achter om er een begrip van te maken. De bordjes met daarin het euroteken zag ik als een eenvoudig grafisch middel om de hoofdbedoeling van de nieuwe rubriek duidelijk te maken: het belonen van de verhouding tussen kwaliteit en prijs. Daarmee wilde ik het verschil maken met de meeste culinaire gidsen, die de kwaliteit op zich belonen, zonder rekening te houden met de prijs.

Ja, er zijn natuurlijk de 'bibs gourmands' van Michelin, en ook GaultMillau is in de loop der jaren meer aandacht gaan besteden aan de zogenaamde 'prijs-plezierverhouding'. Maar in hun belangrijkste quoteringssysteem – de sterren van Michelin en de punten (en koksmutsen) van GaultMillau – speelt de prijs geen rol.

Het leek me een goed idee om die prijs wel expliciet te betrekken in de beoordeling. Het publiek doet dat trouwens zelf ook. Achteraf kwamen daar de bordjes bij, omdat we nu eenmaal een symbool nodig hadden om dat idee visueel voor te stellen: de bordjes stonden voor de kwaliteit, het euroteken voor de prijs. Maar in de spreektaal werd dat al snel herleid tot 'de bordjes'. Dat heeft een positief effect gehad op de bekendheid en herkenbaarheid van de restaurantrubriek.

Met mijn professionele achtergrond in de reclamewereld had me dat eigenlijk niet mogen verwonderen. Altijd zijn het dergelijke eenvoudige ideeën en symbolen die aanslaan. Maar echt zeker kun je het nooit op voorhand weten.

Neem de sterren van Michelin. Dat symbool is niet eens zo origineel, maar wel supereenvoudig, herkenbaar en makkelijk te benoemen. Zonder twijfel is het een van de pijlers van het succes van deze wereldwijd bekende gids. We spreken nu van 'sterrenrestaurants' en 'sterrenkoks'. We vragen ons af of een restaurant 'een ster heeft'. De term is doorgedrongen in het dagelijkse culinaire taalgebruik.

Wat een competitief voordeel ten opzichte van GaultMillau, dat niet zo'n eenvoudig en tot de verbeelding sprekend symbool hanteert. GaultMillau werkt met punten, maar wie onthoudt dat? Wie spreekt daarover behalve de restaurateurs en de inspecteurs van de gids zelf? Kent u een achttienpuntenkok? Ja, er staan ook wel koksmutsen naast bepaalde restaurants. Maar bent u al eens gaan eten in een koksmutsenrestaurant?

Twee symbolen die naast en door elkaar gebruikt worden (punten én koksmutsen), werken bovendien nooit zo goed als één enkel symbool dat consequent wordt gehanteerd. GaultMillau heeft nooit duidelijk gekozen voor de punten of voor de koksmutsen. En als zij zelf niet kiezen, hoe kunnen ze dan verwachten dat het publiek die keuze wel maakt?

De sterren van Michelin zijn een gouden vondst gebleken. Ze werden ook een sterk symbool voor een bepaalde conservatieve, Frans-geïnspireerde culinaire visie. En ook die visie wilde ik met de restaurantrubriek doorbreken.

Waarom heeft het ene idee succes en het andere niet? Zelfs de grootste specialist in reclame zal bescheiden zeggen dat er geen magische formule bestaat die zeker zal aanslaan. Het is altijd een cocktail van elementen: het juiste medium, de juiste dag van verschijning, de lay-out, de fotografie, de schrijfstijl, de keuze van de restaurants, zeg maar: het gehele format, dat strak, eenvoudig en herkenbaar moet zijn. En vooral: dat consequent aangehouden moet worden. Al te vaak worden formats licht gewijzigd, uit een verkeerd begrepen idee van 'vernieuwing'. Vaak begint het dan fout te lopen, het publiek herkent het niet meer en de verwatering begint.

Kennelijk vond Eva Berghmans, de toenmalige hoofdredactrice van *De Standaard Magazine*, dat het bestaande format van de restaurantrubriek niet meer aan al die criteria beantwoordde. Want op zekere dag, ergens in 2005, vroeg ze mij, tijdens een lunch, geheel onverwachts: 'Zou jij eens kunnen nadenken over onze restaurantrubriek?'

2. Aan tafel

Ik had het niet verwacht, omdat ik al lang over wijn schreef. In 1995 had ik toevallig An Brouckmans ontmoet, de toenmalige hoofdredactrice van *Feeling*, tijdens een diner in De Schone van Boskoop met gemeenschappelijke vrienden. Ze bleek een groot wijnliefhebber te zijn. Ik vroeg haar hoe het kwam dat er in geen enkel vrouwenblad over wijn werd geschreven, terwijl vrouwen toch vaak wijn kopen en er zelfs voor bekendstaan een beter geur- en smaakvermogen te hebben dan mannen.

'Waarom doe jij het niet?' vroeg ze me.

Het was zo'n uitdagende vraag dat ik niet anders kon dan op het aanbod in te gaan. Enkele jaren later kwam een ander voorstel, opnieuw van een vrouw. Tessa Vermeiren, toenmalig hoofdredactrice van *Knack Weekend*, was bezig met de voorbereiding van een nieuw magazine, geheel gewijd aan de geneugten van eten en drinken: *Spijs & Drank*.

'Ik zoek iemand die tijd en zin heeft om voor dit nieuwe blad vier wijnreizen per jaar te maken, en terug te komen met de beste wijnreportages die in België ooit gemaakt zijn.'

Die hoofdredactrices weten hun voorstellen zodanig te formuleren dat je niet kunt weigeren. In de daaropvolgende jaren reisde ik door Frankrijk, Spanje, Italië, Duitsland, Oostenrijk, Griekenland, Chili, Californië, Zuid-Afrika, Nieuw-Zeeland, Australië...

Toen *Spijs & Drank* werd gereduceerd tot een bijlage van *Nest*, een nieuw lifestylemagazine, begon ik in 2002 voor *De Standaard* wekelijkse bijdragen over wijn te schrijven.

Langzaamaan was ik dus, naast mijn professionele loopbaan in de reclame, wijnschrijver geworden. Ik noemde het een uit zijn voegen gegroeide passie, een tweede beroep. Nu stelde Eva Berghmans, hoofdredactrice van *De Standaard Magazine*, mij die onverwachte vraag om 'eens na te denken over de restaurantrubriek'.

Laat ik het maar toegeven: ik had er in stilte weleens van gedroomd. Passie voor wijn gaat samen met passie voor eten. Ik schuimde al jaren restaurants af, reisde zelfs speciaal naar bepaalde steden om er een restaurant te bezoeken, kook zelf graag, lees er veel over. Eigenlijk heeft eten mijn leven altijd beheerst.

Dat was al van jongs af aan zo. Mijn eerste bekommernis als ik thuiskwam van school, was wat we 's avonds zouden eten. Een *running joke* in mijn familie is dat mijn ouders vaak in het Frans over eten praatten om te vermijden dat ik zou weten waar bepaalde voedingswaren zich bevonden. Uit eten gaan in een restaurant verschafte mij als jonge knaap dezelfde opwinding als andere kinderen van mijn leeftijd wellicht alleen voelden bij een dag in een pretpark. Ik had ook al heel vroeg – zo wordt mij verzekerd door familieleden – een meer dan gewone interesse voor het bereiden van eten. Naar het schijnt verzorgde ik voor de verjaardag van mijn moeder volledige menu's in plaats van met de gebruikelijke kindertekeningen uit te pakken.

Het verlangen naar lekker eten en de obsessie waarmee ik elke dag naar de belangrijkste maaltijd van de dag uitkijk, zijn nooit verminderd. Naarmate mijn financiële mogelijkheden groeiden, bezocht ik restaurants die steeds hoger op de culinaire ladder stonden. Mijn eerste bezoeken aan sterrenrestaurants waren evenementen waarop ik mij dagen vooraf mentaal voorbereidde. Ze waren ook altijd de leidraad bij de planning van reizen in het buitenland. Hotels? Monumenten? Mooie landschappen? Eerst werd het belangrijkste geregeld: het restaurant. De rest vloeide daaruit voort.

Dat ik later met iemand trouwde die dezelfde culinaire interesses heeft, was voor niemand een verrassing. Mijn vrouw kweekt zelf de groenten, vruchten en kruiden die we eten. Voor wat we daarnaast nog nodig hebben, worden lange afstanden naar bijzondere winkels niet geschuwd. Al van 's morgens vroeg wordt het diner, het belangrijkste moment van de dag, voorbereid. Wat staat vanavond op het menu? Waar moeten de ingrediënten vandaan komen? Wie zal de leiding in de keuken nemen? Welke wijn past daar het best bij? (Die wordt dan al 's morgens uit mijn wijnkelder gehaald om op schenktemperatuur te komen.) Om 17 uur is het zover: het ritueel begint. De ingrediënten worden uitgestald, schoongemaakt, versneden. Een glas witte wijn dient deze werkzaamheden te begeleiden. Iedereen moet op hetzelfde moment aan tafel. Want dat hoort zo bij à-la-minutekoken.

Het verbaast mij eigenlijk dat ik dit al zoveel jaar doe, en het nog altijd niet beu ben. Misschien zult u mij verdenken van een of andere psychologische stoornis, maar ik kom de dag niet door zonder het uitzicht op een culinair evenement ter afronding.

Wist Eva Berghmans dat eten – naast wijn – zo'n belangrijke plaats in mijn leven innam? Misschien had ik in die zin weleens iets laten vallen tegen haar. Of misschien dacht ze dat iemand die wijn kan proeven, ook wel eten moet kunnen proeven. Toch kwam haar vraag als een verrassing.

'*Knack Weekend* en *Trends* hebben Pieter Van Doveren, *De Morgen* heeft Agnes Goyvaerts en Willem Asaert,' zei ze. 'Wij hebben niemand met die bekendheid en reputatie. Dat kan niet voor *De Standaard.*'

Ik was enigszins verbaasd over het belang dat de krant aan de triviale geneugten van het tafelen leek te hechten.

'Dan ken je onze baas nog niet,' vertelde ze, doelend op toenmalig algemeen hoofdredacteur Peter Vandermeersch. 'Ten eerste is hij zelf een gepassioneerde foodie, maar hij is vooral een groot aanhanger van de stelling dat een krant als *De Standaard* niet alleen over politiek, economie en cultuur hoort te schrijven, maar ook over andere onderwerpen, zoals gastronomie. En dat je daarin dezelfde kwaliteit moet nastreven. Hij is een groot bewonderaar van *The New York Times*. Dat dateert nog van de tijd dat hij in New York correspondent was voor *De Standaard*. Vooral *Dining & Wine*, de bijlage van *The New York Times* over gastronomie en wijn, is zijn grote voorbeeld.' Ik voelde het aanbod plots aan als een opdracht waar ik niet al te licht overheen kon gaan.

Ineens herinnerde ik me dat Peter Vandermeersch in 2002, toen ik met *De Standaard* bijna tot een overeenkomst was gekomen om over wijn te schrijven, mij persoonlijk had willen zien om mijn visie erover te horen. De hoofdredacteur van de grootste kwaliteitskrant in Vlaanderen wilde dus een freelancecolumnist persoonlijk ontmoeten over een al bij al beperkt en maatschappelijk weinig relevant thema als wijn? Er was mij toen al door enkele van zijn medewerkers verteld dat dat volledig normaal was, dat hij iedereen die voor zijn krant schreef minstens één keer persoonlijk wilde ontmoeten, omdat hij wilde dat elk onderwerp – ook in het zogenaamde lichtere genre – de algemene kwaliteitslijn van de krant volgde. Later zou ik meermaals vaststellen dat hij al die schrijvers ook persoonlijk volgde. 'Verdorie, hij heeft het gelezen': ik denk dat velen die voor *De Standaard* schreven, dat gemompeld moeten hebben na een ontmoeting met Vandermeersch, ondertussen de hoofdredacteur van de Nederlandse krant *NRC Handelsblad*.

Voor het onderwerp gastronomie was het niet anders. Toen ik mijn intentienota over de restaurantrubriek met Eva Berghmans had afgetoetst, wilde ook Peter Vandermeersch me daarover zien. Hij leek me – om het zo te zeggen – nogal hongerig om over dit thema een gesprek te voeren. Veel mensen gaan er wellicht van uit dat deze man zich tot unieke levenstaak heeft gesteld om de belangrijkste ontwikkelingen in onze samenleving te volgen en te becommentariëren, maar hij bleek ook verdomd goed op de hoogte van de maatschappelijke evoluties in het culinaire veld.

Eigenlijk had mij dat niet mogen verwonderen. Je ervaart dagelijks hoeveel mensen, van alle rangen en standen, geboeid zijn door lekker eten. Als je mensen met de meest verschillende sociale en professionele achtergrond bij elkaar zet, vind je nauwelijks een onderwerp dat hen allemaal bindt. Behalve één: eten. Als dat ter sprake komt, schiet het aandachtsniveau omhoog, gaan de ogen blinken, en voor je het weet, zit iedereen tips uit te wisselen. 'Ben je daar al geweest?', 'Daar moet je zeker eens naartoe gaan!', 'Vroeger was het daar goed, maar nu...'

'Uit elke enquête onder lezers van *De Standaard* blijkt dat zij veel belang hechten aan goede informatie over eten en drinken,' zei Peter Vandermeersch, 'vandaar dat ik graag eens wilde weten hoe je die restaurantrubriek wilt aanpakken.'

Dat gesprek vond niet eens zo lang geleden plaats. Maar culinair gezien leefden we nog in een heel andere tijd. De culinaire vernieuwing, ingezet in Spanje, en de culinaire mediatisering en democratisering, stonden nog in hun kinderschoenen.

De grote culinaire referentie was nog altijd de sterrenhemel van Michelin, gevolgd door de puntenschool van GaultMillau. Maar heel wat signalen wezen erop dat dat zou veranderen. En zo is ook gebleken.

Voor de generatie van mijn ouders was een restaurantbezoek een hele gebeurtenis, meestal avondvullend, waarvoor je je opkleedde. Nadien raakte uit eten gaan voor steeds meer mensen geïntegreerd in hun dagelijkse leven. Het belang dat zij hechtten aan een informele sfeer, een vlotte bediening en een redelijk prijskaartje, nam daardoor toe.

Dat betekende echter niet dat deze nieuwe generaties van restaurantbezoekers geen kwaliteit meer eisten in het bord, integendeel. Ze hadden een veel grotere culinaire kennis en nieuwsgierigheid dan hun ouders en grootouders. Ze kenden etnische en exotische ingrediënten waarover vroeger niet eens werd gesproken. Ze wilden regelmatig verrast worden, waren gefascineerd door nieuwe kooktechnieken, nieuwe ingrediënten en combinaties, vernieuwende restaurantformules. Daarenboven bleken ze ook nog eens bekommerd te zijn om hun lijn en hun gezondheid. En dus eisten ze van de restaurants lichtheid, versheid, hygiëne en een betrouwbare herkomst van de producten. Culinaire hoogstandjes hoefden niet per se, wel eerlijke gerechten op basis van een hoge kwaliteit van de ingrediënten en een deskundige bereiding, het liefst op het moment zelf.

Bij de start van de nieuwe restaurantrubriek in *De Standaard Magazine* was die evolutie al aan de gang. Maar instituten als Michelin en GaultMillau hadden er weinig of geen oog voor. Ze stonden voor een culinaire visie van het verleden. Het archetype van het 'sterrenrestaurant' was nog altijd het restaurant waarvoor je je – zoals de generatie van mijn ouders – diende op te kleden en waar je moest reserveren om er vervolgens een hele avond lang fluisterend te tafelen. Hoe meer sterren het restaurant telde, hoe groter de kans dat je een das en vest moest dragen om er te 'mogen' eten. Enkele jaren later zouden diezelfde restaurants haast smeken om ons, zelfs zonder vest en das, te 'mogen' bedienen.

Vooral Michelin bleef bij een bepaalde culinaire stijl zweren. In zijn sterrenuniversum leek geen olijfolie te bestaan, alleen boter. Zijn type keuken was gericht op versmelting van smaken in plaats van op smaakcontrasten, op romige texturen in plaats van op textuurvariaties, op ingrediënten als foie gras in plaats van ingrediënten die fraîcheur brengen. Producten uit Frankrijk genoten nog altijd de voorkeur op producten uit andere landen van de wereld. Nieuwe kooktechnieken werden wat denigrerend afgedaan als een voorbijgaande hype.

We zaten volop in de tijd van een botsing tussen deze Frans-geïnspireerde culinaire visie, gericht op het verleden en de traditie, en een open internationale visie die zich ontwikkelde vanuit het Spanje van elBulli, resoluut brak met de traditie en naar de toekomst keek. Ik was al naar elBulli gegaan op een moment dat je er als gewone sterveling nog een tafel kon reserveren, en ik herinner me heel goed wat ik dacht toen ik daar naar buiten kwam: 'Ik heb de culinaire revolutie live meegemaakt.'

Wat een verschil met de vaak ontgoochelende culinaire ervaringen die ik beleefde in driesterrenrestaurants, ook in Frankrijk, de heimat van Michelin. Het culinaire conservatisme droop er van de muren. De koks hadden zo lang naar de schittering van hun sterren gekeken dat ze blind waren geworden. Ze waren zo lang in de beslotenheid van hun keuken blijven zitten dat ze niet meer wisten wat er daarbuiten gebeurde. Je kreeg er vaak vermoeide gerechten van vermoeide koks voorgeschoteld.

Ik herinner me een diner in Les Prés d'Eugénie, de driesterrentempel van de hooggeprezen kok Michel Guérard. Zoals zo vaak in dergelijke tempels trof ik er een publiek op leeftijd aan, onder meer een stokoud Engels koppel dat aan een tafel naast mij zat. De vrouw, die wellicht dement was, kon niet meer zelfstandig eten en moest door haar man worden 'gevoederd', iets wat gepaard ging met een hele hoop gesmak en gemors. Los van de vraag of het wel zo'n goed idee was om in die toestand te gaan eten in een restaurant, vatte het beeld van dat oude, sukkelende koppel de hele 'sterrenfilosofie' van Michelin samen: een filosofie die dreigde uit te sterven met haar laatste volgelingen.

Het heeft lang geduurd voor Michelin en Gault-Millau inzagen dat ze op de trein van het verleden waren blijven zitten. Pas toen de culinaire vernieuwing geen voorbijgaande trend bleek te zijn en ze echt niet anders meer konden, sprongen ze mee op de trein van de toekomst. Dat ging niet meteen gepaard met veel enthousiasme en passie voor die vernieuwing. Nog altijd niet, is mijn indruk. Ze hebben er nu wel aandacht voor, omdat ze voelen dat het voor hun imago noodzakelijk is. Maar ze volgen het niet van ganser harte en lopen vaak achter de feiten en nieuwste evoluties aan. Ze begrijpen het eigenlijk niet goed.

Vandaag zetten kranten en magazines de trend op culinair gebied. Waar journalisten en recensenten vroeger veel vaker opkeken naar de gidsen en hun oordeel, is het nu omgekeerd: het zijn de gidsen die de culinaire rubrieken en besprekingen in de media volgen en daarop inspelen.

Toen ik mijn eerste gesprek met Peter Vandermeersch over de nieuwe restaurantrubriek voerde, was het nog niet zover. We gingen er dan ook van uit dat het idee om restaurants niet alleen op kwaliteit maar ook op prijs te beoordelen, enige deining zou kunnen veroorzaken. Het betekende immers dat een sterrenrestaurant dezelfde quotering zou kunnen krijgen als een eenvoudige taverne. Zou dat als culinaire heiligschennis worden beschouwd? Al snel zou echter blijken dat het publiek deze manier van quoteren juist bijzonder goed onthaalde. Omdat er eindelijk rekening werd gehouden met iets waarmee het zelf altijd al rekening had gehouden: de prijs.

Wat ook sterk zou veranderen, was de manier waarop over gastronomie werd gepraat.

De pionier hiervan was een jonge kok die op de BBC eind jaren 1990 met een radicaal nieuw kookprogramma uitpakte: Jamie Oliver. Hij was amper 24 en ging gekleed in jeans, zijn tv-programma was flitsend, de stijl cool en hip, de ingrediënten kwamen uit alle hoeken van de wereld en de recepten waren voor iedereen haalbaar. Jamie Oliver werd een wereldhype. Tot dan toe had hij alleen als hulpje in de keuken gewerkt en hij kwam bovendien uit een land dat niet bepaald als een culinair nirwana bekendstond. Het publiek maalde daar niet om, het viel massaal voor deze sympathieke Britse jongeman. Dat tekende een culinaire tijdgeest, waarin tradities en referenties best mochten sneuvelen en waarin mensen niet meer op een belerende, schoolse manier over eten en drinken geïnformeerd wilden worden. Eten was een plezier en dat mocht worden gezegd.

Ook ik wilde dat historische sérieux in het schrijven over eten doorbreken. Eten is een zintuiglijke, emotionele, sociale belevenis. Je hebt natuurlijk kennis nodig als je recensent wilt zijn, maar ook passie en enthousiasme. Dat mag je in de bespreking van een restaurant voelen, vind ik. Ik hoef daar niet eens moeite voor te doen. Ik ben altijd een enthousiaste fan geweest van goede koks. Ze hebben een moeilijk en hard beroep, ze verdienen onze lof en ondersteuning. Althans zij die echt begaan zijn met hun vak en zich eerlijk inspannen om kwaliteit in het bord te brengen voor een redelijke prijs. Helaas zijn er ook die het minder nauw nemen met de versheid van de ingrediënten, de hygiëne in hun keuken, de gezondheid van hun klanten of een correcte verhouding tussen prijs en kwaliteit. Dat moet een restaurantrubriek ook kunnen signaleren.

3. Het aperitief

De eerste kwestie waarover ik mij moest buigen, was meteen al moeilijker dan verwacht: welk restaurant zou op 3 september 2005 als allereerste in de nieuwe rubriek verschijnen? De bekende angst voor het witte blad sloeg toe. Als alle mogelijkheden openliggen, dan wordt de keuze pas echt moeilijk.

Ik wilde natuurlijk een restaurant dat meteen al mijn intenties samenvatte en weerspiegelde. Dus werd het geen traditioneel restaurant, maar een informeel lunchadres: Mamy Louise, in het hart van Brussel. Elke weekdag en zaterdag was het doorlopend open tot halfzeven 's avonds, wat op zich al indruiste tegen de gebruiken van de sector. Je kon er eenvoudige slaatjes en gerechten krijgen, maar ook boterhammen met vers en smakelijk beleg. Een mooie keuze van wijnen per glas was voorhanden. Je kon aan een tafel zitten maar ook aan een toog. De prijzen waren redelijk. Kortom: het speelde volop in op de veranderde gewoonten van het uit eten gaan. Ik gaf het de op één na beste score: drie bordjes.

De aanpak van de eigenaars Nadine en Philippe Gillet heeft ook commercieel geloond. Mamy Louise bestaat nog altijd en draait prima. Meer nog, ten tijde van het artikel baatten zij ook andere restaurants uit, onder een andere naam en met een ander concept. Intussen hebben ze al hun zaken omgedoopt tot Mamy Louise.

Enkele weken na het eerste stuk bezorgde ik een ander eenvoudig eethuis, De Kruidenmolen in Klemskerke, de topscore van vier bordjes. De formule is er immers even zeldzaam als aantrekkelijk: een informele sfeer (waarbij zelfs kinderen welkom zijn), redelijke prijzen én topkwaliteit in het bord.

In Blankenberge begon Philippe Nuyens, vroeger souschef in de tweesterrenzaak 't Molentje, een gezellig eethuis zonder enige pretentie. Dat kreeg vier bordjes vanwege 'de topkwaliteit in het bord, zonder dat je er de opgeklopte sfeer van een stijfdeftig etablissement hoeft bij te nemen'.

In de eerste maand besprak ik ook het chique Kasteel Withof. De kok Peter Cocquyt (die van Hof van Cleve overkwam) is een uitzonderlijk talent, maar ik had zo mijn twijfels over het al te ouderwetse, wat pompeuze restaurantconcept. Ik noemde het 'een etablissement op maat van bemiddelde burgers zoals de eigenaar zelve', met 'een *voiturier* om de auto's naar een parkeerterrein te rijden die zich enkele meters verder bevindt'. Het eten was van prima kwaliteit (vandaar toch drie bordjes), maar alles was nadrukkelijk gericht op het behagen van Michelin. De Nederlandse eigenaar stak die doelstelling overigens niet onder stoelen of banken: hij wilde sterren, zo veel mogelijk.

Vier jaar later ging Withof failliet. Was dat het lot van culinaire initiatieven die zich al te zeer spiegelen aan Michelin? De directeur van Kasteel Withof, Jurgen Lijcops, opende kort daarna in hartje Antwerpen een laagdrempelige wijnbistro met een beperkte kaart van eenvoudige gerechten en wijnen die per glas te krijgen zijn. Een nieuw voorbeeld van het feit dat de culinaire tijden echt wel zijn veranderd.

In het sterrenrestaurant Maison Vandamme, dat net verhuisd was naar een nieuwe locatie, maakte ik kennis met de piepjonge sommelier Wouter De Bakker. Hij maakte deel uit van een nieuwe generatie sommeliers, die aanvankelijk wat meewarig werden bekeken door de gevestigde garde van Grote Kenners. Ik was echter enthousiaster over zijn trefzekere wijnkeuzes dan over de gerechten. Twee jaar later werd Wouter De Bakker Eerste Sommelier van België. Nog later werd hij sommelier in een van de beste restaurants van Antwerpen, Dôme. We maakten de opkomst mee van jonge, gretige, nieuwsgierige sommeliers, die verder dan het traditionele wijnland Frankrijk keken en met veel creativiteit en kennis inspeelden op de nieuwe culinaire trends.

Over restaurant Hertog Jan, toen nog onbekend, was ik meteen laaiend enthousiast. Twee jonge twintigers, kok Gert De Mangeleer en sommelier Joachim Boudens, hadden de zaak net overgenomen. Mijn allereerste topscore van vier bordjes was voor hen. In dat enthousiasme stond ik niet alleen: Pieter Van Doveren riep Hertog Jan uit tot het beste restaurant van Vlaanderen. Ik sloot me daarbij aan en schreef: 'De enige reden waarom Hertog Jan nog geen Michelinsterren heeft, is dat het kader, de sfeer en de bediening vlot en informeel zijn. Des te beter. Bij mooi weer kun je buiten eten, je ziet dan zelfs kinderen in de tuin, want ook die zijn welkom. Wie heeft sterren nodig als de klanten stralen van geluk?' Hertog Jan heeft vandaag twee Michelinsterren.

4. De nieuwe garde

De eerste tekenen van de culinaire vernieuwing, gestart in Spanje, waaiden over naar ons land. Soms kreeg ze een amateuristische invulling, soms een heel eigen interpretatie op hoog niveau, zoals in Hertog Jan. Van bij het begin juichte ik deze vernieuwing toe. Eindelijk gebeurde er nog eens iets nieuws en spannends in het bord. Alleen jammer dat er voor deze nieuwe stroming zo'n slechte naam was bedacht: moleculaire keuken. Dat roept beelden op van kille laboratoria en pruttelende reageerbuizen. Het lijkt wel alsof er alleen met chemische en synthetische ingrediënten gewerkt wordt en het klinkt artificieel. Op den duur werd de perceptie die door de naam werd gewekt, sterker dan de realiteit. Zelfs mensen die deze moleculaire keuken nog nooit hadden geproefd, hadden er al een oordeel over én maakten gretig gebruik van alle clichés die je op basis van de naam kunt bedenken.

Koken is altijd moleculair. Ook de klassieke technieken (pocheren, bakken, grillen...) grijpen in op de moleculaire structuur van ingrediënten. De term 'moleculair' voor deze nieuwe keuken verwees eerder naar de wetenschappelijke benadering van het koken. In plaats van zomaar de ideeën en technieken van vroeger over te nemen, wilden moleculaire koks begrijpen wat er met de ingrediënten en hun moleculen precies gebeurt tijdens de processen van bereiding. Daar is niets mysterieus of magisch aan: het ging gewoon om het verwerven van objectieve kennis.

Daardoor werd een beter inzicht verkregen in kookprocessen, en dat leidde tot nieuwe technieken om texturen te verfijnen en te verzachten, om de smaak van ingrediënten te behouden en zelfs te versterken, en om het gaar worden van vlees en vis te perfectioneren, waarbij malsheid en sappigheid worden bevorderd. Moleculaire technieken leidden ook tot een lichtere keuken in vergelijking met de klassieke keuken, waarin onder meer boter en room een belangrijke rol spelen. Creatieve koks werden door deze inzichten op nieuwe ideeën gebracht. Ze konden experimenteren met het veranderen van texturen en het combineren van ingrediënten die voordien nooit met elkaar waren gecombineerd (de zogenaamde, eveneens wetenschappelijk gestuurde, *foodpairing*).

Lang vóór mij gevraagd werd om de restaurantrubriek van *De Standaard Magazine* over te nemen, was ik al meerdere malen naar de heimat van de moleculaire keuken gegaan: Spanje. Dáár brandde nu de culinaire lamp, niet langer in Frankrijk of Italië.

Het was het begin van een boeiend tijdperk waarin landen zonder enige culinaire reputatie ineens de landen met een gevestigde reputatie inhaalden en voorbijstaken, en dat op alle vlakken: originaliteit van de ingrediënten en combinaties, smaakprecisie, smaakexpressie, creativiteit, presentatie, techniek... Het was zonder overdrijven een culinaire revolutie.

Het creatieve genie met wie alles begon, was Ferran Adrià van restaurant elBulli, vandaag een wereldmerk met een enorme uitstraling, toen nog gewoon de naam van een 'speciaal restaurant'. Eind jaren 1990 kon je er nog simpelweg telefonisch een tafel reserveren op een zaterdagavond om halfacht. Ik ging er toen voor de eerste keer naartoe.

Je kon er niet logeren, zelfs niet in de buurt. Je moest een hotel boeken in Roses, en vervolgens een vijftiental kilometer rijden langs een moeilijke, bochtige, onverlichte weg door een bergachtig gebied langsheen de kust. Je moest het als het ware verdienen om er te gaan eten. Maar die rit was toen klein bier vergeleken met de inspanningen die je tien jaar later moest doen om er een tafel te boeken. Nu zal elBulli zelfs voor enkele jaren sluiten.

De aankomst bij het restaurant alleen al was een beloning op zich: elBulli is uitzonderlijk mooi gelegen aan een verlaten baai met uitzicht op zee. Ik herinner me mijn verbazing toen ik binnenkwam, in de eerste plaats vanwege de informele vriendelijkheid en hartelijkheid waarmee we onthaald werden, een verademing vergeleken met de stijve en vaak kille ontvangst die je te beurt viel in het doorsnee Franse sterrenrestaurant. Eten mag een plezier zijn, die trend had men hier duidelijk opgepikt. Nog verrassender was het feit dat geen enkele tafel gedekt was. En dan bedoel ik: totaal niet gedekt. Geen bord, geen glas, geen bestek, geen servet. Niets. Alleen een bordeauxkleurige nap. Later zouden we begrijpen waarom: voor elk gerecht was er een andere manier voorzien om het op te eten, de presentatie en het tafelmateriaal maakten integraal deel uit van het gerecht. Soms moest je ook gewoon je handen gebruiken. Of soms helemaal niets: het gerecht werd dan rechtstreeks op je tong gelegd.

Eerst werd, nog vóór het aperitief, in het midden van de lege tafel een krachtig statement neergezet: een vaas met daarin vier kippenpoten (één voor elk). Ze staken omgekeerd in de vaas, met de klauwen in de lucht, als bizarre bloemen.

'Ze zijn eetbaar,' werd ons gezegd, waarna we ze voorzichtig uit de vaas namen en ze aan een visuele en olfactorische inspectie onderwierpen. Een van ons durfde erin te bijten: de textuur bleek verrassend bros te zijn, zoals chips, en de smaak was onmiskenbaar die van een krachtige kippenbouillon. Het waren dus geen echte kippenpoten, ze waren 'afgebroken en heropgebouwd', waarbij ze een nieuwe textuur hadden gekregen en een smaak die weliswaar op kip was gebaseerd, maar bijzonder zuiver, intens en expressief was. Dit was mijn eerste ervaring met de zogenaamde 'deconstructie' van de moleculaire keuken. Daar kregen we verderop in het menu nog voorbeelden van, zoals 'rice krispies' van schaaldieren. Of koekjes die op de amandelkoekjes van Jules Destrooper leken, maar volledig van bospaddenstoelen waren gemaakt en daar ook naar smaakten. Ik herinner me ook een enorme 'suikerspin' die uit ganzenlever geweven bleek te zijn.

Telkens was de verrassende textuur het eerste wat opviel, net als het feit dat het niet smaakte naar wat je dacht te zien. Maar als je aandachtig proefde, merkte je ook dat de smaken ongewoon zuiver en intens waren. Dat is een kenmerk van de moleculaire keuken dat te weinig werd en wordt belicht. 'Moleculair' doet aan artificiële smaken denken, terwijl juist naar het omgekeerde wordt gestreefd: door een wetenschappelijke benadering kun je de zuivere smaak van de ingrediënten beter bewaren en zelfs versterken. Hetzelfde geldt voor het gaar worden van ingrediënten: wie dat wetenschappelijk aanpakt in plaats van 'op het gevoel', kan het ideaal van de perfecte *cuisson* bereiken.

Over deze zaken werd, zeker in de beginjaren, nauwelijks gesproken. Iedereen had het over de spectaculaire kant van de moleculaire keuken: de hoogst ongewone combinaties van ingrediënten en de verandering van texturen. Zo sprak iedereen al gauw over de 'espuma', het resultaat van een techniek waarbij je zowat elk ingrediënt kunt transformeren tot een luchtige mousse. Dat was het eerste succesnummer van Ferran Adrià, waarmee koks in andere landen begonnen te experimenteren toen hij er al mee was gestopt. Dat leidde tot een overdaad aan espuma's, waarmee ook het idee in het leven werd geroepen dat de moleculaire keuken 'bedoeld was voor mensen zonder tanden'.

In elk geval had ik elBulli ervaren als een unieke belevenis. Ik viel er van de ene verrassing in de andere verrukking. Als een klein kind raakte ik niet uitgekeken en uitgeproefd. Het was culinair vuurwerk. Toen al bestond een menu bij elBulli uit een veertigtal creaties, die met een gestadig tempo werden aangevoerd.

Je proefde er zodanig veel dat je het onmogelijk kon onthouden. Het was ook ondoenbaar om, zoals voor een gebruikelijk menu, de gerechten te ontleden en de ingrediënten thuis te brengen. Het was niet zomaar lekker en gezellig gaan eten: je werd voortdurend geprikkeld en uitgedaagd. Een collega-foodie noemde het een eerder intellectuele dan culinaire belevenis. Daar zit wel een grond van waarheid in: je was constant aan het nadenken over wat je aan het eten was, je praatte er ook voortdurend over met je tafelgenoten. Een diner bij elBulli was als een bezoek aan een expositie, maar dan van culinaire kunst. Geen wonder dat Adrià later uitgenodigd zou worden op de internationale kunstbeurs *Documenta* in het Duitse Kassel. Adrià een kunstenaar? Absoluut.

Met al de internationale media-aandacht voor één persoon werd weleens vergeten dat in Spanje ook andere jonge chefs opstonden en baanbrekend culinair werk leverden, zonder daarom de meester zelve te imiteren. Ik heb nogal wat vliegtuigtickets richting Spanje besteld in die periode.

Er waren zelfs koks die Ferran Adrià voor waren. Zo moeten ze in Spaans Baskenland raar hebben opgekeken toen elBulli plots werd uitgeroepen tot het boegbeeld van de Spaanse culinaire vernieuwing. Enkele chefs waren hier immers al zo'n dertig jaar geleden met een 'culinaire revolutie' begonnen. Toen Spanje nog geen enkele reputatie had op culinair vlak en bekendstond voor zijn zware rurale keuken, slaagde Juan Mari Arzak er als eerste Spaanse kok in om een Michelinster te veroveren. Waarom precies in Baskenland? De nabijheid van Frankrijk (amper twintig kilometer verderop) speelde ongetwijfeld een rol.

De vernieuwing kwam toen echt op gang. Restaurants als Arzak, Akelarre en Zuberoa – allemaal in en rond San Sebastián – waren pioniers, maar worden vandaag al tot de oude garde gerekend. Jongere chefs raakten gemotiveerd door hun succes en gingen steeds vernieuwender te werk. Frankrijk diende daarbij niet meer als referentie: er werd een heel eigen stijl en visie ontwikkeld.

Martín Berasategui werd een van de grote ambassadeurs van die culinaire vernieuwing in Baskenland en in heel Spanje. Hij begon in het restaurant van zijn ouders, in het oude stadsgedeelte van San Sebastián. Negen jaar later zette hij de stap naar een eigen restaurant in het nabijgelegen Lasarte-Oria, waar hij met een keukenbrigade van dertig mensen de meest verwende papillen in vervoering brengt. Berasategui gaat minder ver dan Ferran Adrià, maar veel verder dan de meeste Franse koks. Toch sleepte hij drie Michelinsterren in de wacht: in Spanje waren de inspecteurs blijkbaar minder conservatief dan in Frankrijk. De productkennis van Berasategui, zijn gevoel voor smaakcombinaties en zijn organisatie en timing zijn onovertroffen: dit is gastronomie op het hoogste niveau, tegelijk hypereigentijds, verrassend en vederlicht. Ik at er venkel – rauw, vloeibaar en in sorbet – geserveerd met kaviaar van tomaat en garnalen van Motril: een schitterend en verfijnd gerecht, met een uiterst precieze smaakdefinitie. Daarnaast ook octopus in een gelatineuze jus van zeespin, met een mousse van octopus en een luchtig schuim van rode paprika: het gerecht bevatte verrassend weinig ingrediënten, maar creëerde een zeldzaam intense smaakervaring.

Jaren later zou ik, geheel toevallig, met Martín Berasategui aan tafel zitten in De Librije in Zwolle, waar de grote Nederlandse vernieuwer Jonnie Boer kookt. Berasategui spreekt goed Frans en dus hoopte ik met hem uitgebreid van gedachten te wisselen over allerhande culinaire kwesties. Maar koks willen ook weleens over iets anders spreken, en Berasategui was voornamelijk geïnteresseerd in het feit dat ik Belg was, net zoals... Eddy Merckx. Hij bleek een groot wielerfanaat te zijn, en vertelde honderduit over hoe hij in zijn jeugd de legendarische duels tussen zijn landgenoot Luis Ocaña en Eddy Merckx had gevolgd. *'Un grand champion,'* zei hij meermaals bewonderend.

Toen ik nadien nog eens naar Baskenland reisde omdat ik weer eens niet kon weerstaan aan de drang naar een schitterende maaltijd, had ik voor Berasategui een pas verschenen biografie van Eddy Merckx meegebracht. Het boek was persoonlijk gesigneerd door Merckx, daarvoor was ik speciaal naar zijn fietsenbedrijf gereden. Martín Berasategui was daar zo blij mee dat hij mij na het diner kwam zeggen dat ik had gegeten op uitnodiging van de chef.

Een andere buitengewone ontmoeting in Baskenland was die met Andoni Luis Aduriz, de jonge kok van Mugaritz, een restaurant dat nu een plaats bij de beste ter wereld heeft veroverd (maar begin 2010 helaas zwaar beschadigd werd door een brand). Ik herinner me nog altijd de twee kleine briefjes die ik op de tafel zag liggen toen ik aanschoof. Op het ene stond: '150 minuten om u te laten gaan. Om te ruiken, te dromen, te ontdekken.' Op het andere: '150 minuten om u te verzetten. Om kwaad te worden, ongeduldig te zijn, om af te zien.'

De toon was meteen gezet: Aduriz brengt een eigenzinnige keuken die voor- en tegenstanders heeft. Ik vroeg hem toen waarom hij dit doet en hij antwoordde: 'Omdat ik de wereld wil veranderen.'

De keuken van Mugaritz is doordacht, uitgebalanceerd en licht. De gerechten zijn vaak ogenschijnlijk eenvoudig. Kleine langoustines met zachte blaadjes van de moestuin. Gegrilde baars met gezouten confituur van zeevis en saffraan. Koningskrab gemarineerd in olijfolie met een consommé van kip en gegrilde tarwe. Krokante witte asperge met jonge groentescheuten. Maar wat een harmonie en tegelijk intensiteit in de smaak!

Luxeproducten zijn aan Aduriz niet besteed: als aperitiefhapje geeft hij graag een aardappel gegaard in leem met een lookmayonaise. 'De echte luxe is geen kaviaar of ganzenlever,' zei hij daarover, 'maar een perfect en gezond gekweekte tomaat.' Productkeuze blijft dus de basis, maar tegelijk wil hij onvoorspelbaar zijn: 'Waarom zou je anders uren in een restaurant doorbrengen? Toch niet om weer eens hetzelfde te krijgen als wat je al zoveel keer hebt gegeten?'

Het klonk als muziek in mijn oren. Maar zelfs dan vindt Aduriz dat 'een mens niet te lang aan tafel mag zitten'. De '150 minuten' van zijn briefjes neemt hij letterlijk: de gerechten verschijnen met een gestadig ritme op de tafel, zonder haast, maar ook zonder te lange wachttijden. Vernieuwing sluit professionalisme niet uit: dat ervaarde ik in veel vernieuwende restaurants in Spanje. Qua keukenorganisatie en discipline hadden ze niets meer van de Fransen te leren.

De grootste revelatie in Spanje was voor mij de flamboyante Quique Dacosta, die in zijn restaurant elPoblet in Denia (aan de Costa Blanca) de pannen van het dak kookt.

Ik was er speciaal naartoe gereisd omdat ik er al zoveel goeds over had gehoord, en het is natuurlijk een risico om al te hoge verwachtingen te koesteren. Maar na afloop waren die verwachtingen ruimschoots ingelost, zelfs overtroffen.

Uit de niet-aflatende stroom van verrassende en soms overweldigende zintuiglijke sensaties vermeld ik er hier slechts een paar. Algen in een krachtige bouillon, met *jamón ibérico*. Een puree van aardappelen en prei, met kiemen, linzen en sesam. (Quique Dacosta heeft in de kelder van zijn restaurant een 'veld' van vochtige watten waarin hij kiemen van groenten kweekt, zodat hij ze altijd dagvers heeft.) Een mousse van parmezaan met een gelei van vijf soorten basilicum, met daarbij eetbare bloemen, kruiden en pijnboompitten. Een glazen bol met spinkrab en frambozen, in een gelei en een schuim van aloë vera (een plant met heilzame eigenschappen). Een soufflé van bloemkool, aardappel en pastinaak, met Spaanse truffel. En dan de absolute verrassing: een volkomen zilverkleurig gerecht, alsof het in aluminiumpapier was verpakt, dat echter volledig eetbaar was en waarin een oester bleek schuil te gaan.

Toen ik in een toestand van gevorderde euforie buitenkwam, had ik hetzelfde gevoel als toen ik voor het eerst bij elBulli had gegeten: dit was culinaire revolutie, en ik had ze live meegemaakt.

Normaal vermijd ik de costa's in Spanje, en zeker de Costa del Sol. Toch reisde ik ernaartoe omdat ik absoluut bij Dani García wilde gaan eten, die toen nog een restaurant in Ronda had, Tragabuches genaamd. Hij stond bekend voor zijn 'deconstructie' van traditionele Andalusische gerechten. Het ontrafelen van oude recepten en ze met nieuwe technieken in een eigentijdse vorm opnieuw samenstellen: dat vond ik een bijzonder inspirerend idee. García's keuken en aanpak bekoorden mij zodanig dat ik onmiddellijk weer naar de Costa del Sol vloog toen hij daar een nieuw restaurant had geopend, Calima, in een stad waar ik normaal nooit een voet zou zetten, Marbella. Bij die gelegenheid ging ik overigens nog eens terug naar Tragabuches, dat overgenomen was door zijn souschef Benito Gómez. Ik stelde er vast dat die niet moet onderdoen voor zijn leermeester.

Een grandioze ervaring was ook een avond in El Celler de Can Roca in Girona, waar de gebroeders Roca culinaire geschiedenis schrijven. Enkele jaren voordien had ik in Barcelona al geluncht in het restaurant Moo (van het hotel Omm) dat onder hun supervisie staat, maar de ervaring in Girona overklaste dat moeiteloos. Alleen al de architectuur van het restaurant is de reis waard: het oude historische gebouw waarin de ouders met een eenvoudig eethuis begonnen, werd uitgebreid met een splinternieuwe, strakke en eigentijdse constructie. Dat creëert een spannend contrast, en tegelijk is het goed geïntegreerd. Je zou kunnen zeggen dat het symbool staat voor een nieuwe evolutie van de moleculaire keuken: ze slaat een brug naar bepaalde tradities, waardoor een nieuwe boeiende synthese tot stand komt. De gebroeders Roca hebben in ieder geval het pad van de spectaculaire keuken verlaten. Ze brengen, weliswaar met behulp van nieuwe technieken, een haast intimistische keuken, waar met weinig ingrediënten smaakervaringen worden gecreëerd die ik zonder aarzelen klasseer bij de beste die ik ooit heb gehad. Een voorgerecht van kersen en rauwe garnalen zal mij altijd bijblijven: niet zozeer door de verrassende combinatie, want op dat vlak was ik al wat gewend, maar vooral door de schijnbare eenvoud die gepaard ging met een zeldzaam perfecte harmonie en de opperste verfijning. Een keuken om kippenvel van te krijgen.

In het zog van Ferran Adrià en andere vernieuwende koks uit Spanje werden nieuwe keukentoestellen ontwikkeld om al die culinaire hoogstandjes te kunnen uitvoeren. In Barcelona werd de firma International Cooking Concepts opgericht, die zich tot doel stelde de creatieve ideeën van koks technisch mogelijk te maken.

Het begon met het toestel om espuma te maken: een onder druk gezette sifon. Daarmee kon je de meest verscheiden ingrediënten opkloppen tot een luchtig schuim: groenten en vruchten, kruiden, kaas, koekjes, tot zelfs vis en vlees. Het idee kwam van Ferran Adrià en veroverde met een recordtempo de wereld. Elke zichzelf respecterende kok wilde nu ergens een espuma in een gerecht verwerken, het liefst van een ingrediënt dat nog niemand had gebruikt. De sifon werd gemeengoed, en op den duur verbaasde je er als kok niemand meer mee.

Al snel na Ferran Adrià lieten de gebroeders Roca van zich horen. Zij liggen aan de basis van het geperfectioneerde koken op lage temperatuur. Daardoor verliezen ingrediënten geen vocht meer. Het aroma en de smaak blijven behouden en worden zelfs versterkt. En de textuur blijft intact, zelfs na lange gaartijden.

Als je op een fornuis of in een oven op lage temperatuur kookt, riskeer je bacterievorming. De temperatuur is ook niet overal exact gelijk. Vandaar dat Joan Roca de techniek van het vacuümkoken ontwikkelde, samen met Narcís Caner van het restaurant La Fonda Caner, ook uit de provincie Girona. Het toestel dat daaruit voortkwam, werd Roner genoemd: een samentrekking van de namen van de twee uitvinders, Roca en Caner.

Het procedé lijkt simpel. Een product (vlees, vis, groenten, fruit...) wordt, samen met de gewenste kruiden, vacuüm getrokken in een kookzakje. Dat wordt in de Roner in een warmwaterbad gelegd. Vervolgens worden de temperatuur en de gaartijd ingesteld. Het doet denken aan de klassieke bain marie, met dat verschil dat de temperatuur veel lager kan, en bovendien met uiterste precisie behouden blijft over heel het watervolume. De resultaten zijn frappant. Vlees kan gedurende lange tijd garen zonder dat het uiteenvalt of uitdroogt, terwijl de smaak intenser wordt. Vis wordt perfect beetgaar, zowel aan de oppervlakte als binnenin, en behoudt al zijn sappigheid en aroma's. Maar ook dit toestel werd, net zoals de sifon, op den duur overmatig en ondoordacht gebruikt. Stilaan bleek dat bepaalde ingrediënten er toch niet bij gebaat waren, en dat andere technieken daarvoor beter geschikt bleven.

Ook andere Spaanse koks lieten zich gelden. In samenwerking met de universiteit van Valencia ontwikkelden Javier Andrés en Sergio Torres een toestel onder de naam Gastrovac. Het gaat eveneens om vacuümkoken, maar kookzakjes zijn overbodig: alle zuurstof wordt uit het toestel zelf weggetrokken. Daardoor kun je niet alleen op lagere temperatuur koken, maar ook frituren op bijvoorbeeld 90°C. Het gevolg is dat de olie niet meer verbrandt, en dat zowel de smaak als de voedingswaarde van het gefrituurde ingrediënt behouden blijft. Daarnaast laat de Gastrovac toe om ingrediënten beter en sneller te impregneren in een vloeistof. Bij de terugkeer van een zuurstofvrije omgeving naar een normale situatie absorberen ingrediënten immers het hen omringende vocht: het resultaat is het behoud van hun textuur en een concentratie van smaak die met de klassieke marinade of maceratie niet mogelijk is.

De golf van culinaire creativiteit in zijn land stimuleerde ook de pionier Ferran Adrià opnieuw. In elBulli introduceerde hij de Teppan Nitro, een variant op de

Japanse teppanyakibakplaat, maar in plaats van de ingrediënten kort langs beide zijden te bakken, worden ze kort bevroren.

Toen ook Vlaamse koks in de ban raakten van de 'Spaanse golf', ging dat gepaard met de import van deze toestellen. Er ontstond een harde kern van restaurants die de echte voortrekkers en adepten van de culinaire vernieuwing bij ons waren of werden, geografisch goed verspreid over Vlaanderen: onder meer Het Gebaar en De Godevaart in Antwerpen, In De Wulf in Dranouter, De Jonkman, Ter Leepe en Hertog Jan in Brugge, Clandestino in Haasdonk, C-Jean in Gent, De Pastorale in Reet, 't Zilte in Mol, L'Air Du Temps in Eghezée, Li Cwerneu in Hoei, Nuance in Duffel, Cuchara in Lommel.

Zelfs in traditionele restaurants braken deze toestellen door, hoewel ze daar omzichtiger werden gebruikt, terwijl andere restaurants er hun hele keuken op baseerden. Ik maakte er in die periode een reportage over, en sprak toen met kok Gert De Mangeleer van Hertog Jan, die pas zijn nieuwe en volledig zelf uitgetekende keuken had geïnstalleerd. Daarbij had hij resoluut voor vernieuwend materiaal gekozen, zij het niet altijd uit Spanje. Het ging onder meer om de teppanyakibakplaat, de inductiewok, de Pacojet, de Thermomix (een blender die tegelijk verwarmt zodat je er mooie emulsies en mousses mee verkrijgt), de Bamix (een staafmixer met zeer hoog toerental om ultraluchtige emulsies mee te kloppen), en een hypergevoelige weegschaal om exact tot op de gram te wegen.

'De bedoeling was om van bij het begin toonaangevend te zijn,' zei hij, 'maar respect voor het ingrediënt blijft voor mij het belangrijkste. Ik wil dat ingrediënt zodanig bereiden dat het herkenbaar blijft. Ik streef dus niet naar spektakel, ik ben nog niet eens naar elBulli geweest. Wel baseer ik mijn keuken op contrasten tussen mals en krokant, warm en koud, zoet en zuur, terroir en modern, en daar helpen die toestellen bij. Eigenlijk gebruik ik ze vooral om accenten te leggen, verrassingseffecten te creëren. Maar in het algemeen streef ik naar puurheid en evenwicht.'

Over de Roner zei hij: 'Ik doseer het gebruik ervan, anders wordt mijn keuken te eenvormig. De Roner is wel geniaal voor de zogenaamde minderwaardige stukken vlees, zoals de nek en de kaak. Door de lage temperatuur kun je die boterzacht maken, terwijl je toch de textuur, de voedingsstoffen en de sappen bewaart, en bovendien een ongekende smaakintensiteit bereikt. Maar het is zeker niet de beste oplossing voor alle ingrediënten.'

De Mangeleer gaf daarmee al heel vroeg iets belangrijks aan: dat de techniek op zich waardeloos is als je ze niet inzet op grond van een culinaire visie. Aanvankelijk was het enthousiasme over deze toestellen zo groot, dat ze te pas en te onpas werden gebruikt. Dat merkte je in het bord: het technische spektakel primeerde, er was te weinig samenhang, ziel, emotie. Pas nadien evolueerde de moleculaire keuken traag naar een keuken waar de technieken naar de achtergrond verdwenen en in dienst gingen staan van het versterken van de zintuiglijke emoties rond het eten (kijken, ruiken, proeven). Ook bij elBulli was dat zo. Toen ik tien jaar later terugging, was het verschil opvallend. Er was geen techniek meer, ze was opgegaan in pure culinaire poëzie.

5. De kok is kwaad

Twee maanden na de start van de restaurantrubriek gaf ik voor het eerst één bordje: het was meteen alle hens aan dek. Tot overmaat van ramp ging het om een nieuw restaurant – Cospaia genaamd – dat zich aankondigde als '*a food concept by* Jean-Pierre Bruneau', een van onze nationale sterrenchefs en troetelkok van Michelin en GaultMillau.

Ik was bijzonder ontgoocheld over de povere kwaliteit die ik voorgeschoteld kreeg, en had het in mijn bespreking over een 'veredelde traiteurkeuken' en 'opgewarmde kost'. Dat er duidelijk zoveel geld werd gespendeerd aan het luxueuze decor terwijl de vis onfris rook, stuitte mij tegen de borst.

Initiatiefnemer Jan Tindemans, een man van wie werd gezegd dat hij internationale horeca-ervaring had, liet zijn advocaat een boze brief sturen, zowel naar mij als naar *De Standaard*. Hij dreigde met het eisen van schadevergoeding. Peter Vandermeersch, die zulke dingen kennelijk gewend was, liet mij weten dat zijn echtgenote toevallig ook in Cospaia was gaan eten, en dat zij al even ontgoocheld was. Hij liet de juridische dienst van *De Standaard* een brief terugschrijven. Voor hem was de zaak daarmee gesloten.

Jan Tindemans belde mij nadien echter op en nodigde mij in zijn restaurant uit voor een lunch in het gezelschap van Jean-Pierre Bruneau. De gebiedende toon stond mij evenwel niet aan. Bovendien zag ik het als een valstrik: natuurlijk zouden ze voor die lunch hun uiterste best doen en mij vervolgens vragen wat er nu precies fout was. Ik stelde voor dat Jan Tindemans en Jean-Pierre Bruneau naar mijn kantoor in mijn reclamebureau in Brussel kwamen. Aldus geschiedde.

Jan Tindemans stak meteen van wal: 'Ik ben bijzonder kwaad.'

Ik zette mij schrap, nam mij voor om niet voor hem onder te doen, en zei: 'Mijnheer Tindemans, ik ben degene die kwaad moet zijn. Ik heb die avond veel geld betaald. En ik heb daar niets voor in de plaats gekregen. Ik voel me bestolen.'

Tindemans wees mij erop dat Jean-Pierre Bruneau bij Cospaia betrokken was: 'Hij is toch niet de eerste de beste!'

Hoewel ik allang geen fan meer was van Bruneau, betuigde ik mijn respect voor zijn vakkennis. Maar als ik even doorvroeg over de precieze aard van zijn betrokkenheid, bleek die allerminst duidelijk te zijn. Wat betekende *a food concept by* Jean-Pierre Bruneau'? Stond Bruneau zelf aan het fornuis? Maakte hij de gerechten die vervolgens in het restaurant werden afgewerkt? Stelde hij de recepten op waarna die door anderen werden uitgevoerd? Superviseerde hij de keuken? En zo ja, hoeveel keer per dag of per week of per maand kwam hij ter plaatse? Ik kreeg daarover geen duidelijke antwoorden, wellicht omdat die duidelijk-heid er niet was. Bruneau zelf zat er tijdens het gesprek trouwens stil en onwennig bij.

De trend om namen van bekende chefs te koppelen aan restaurants was vooral in het buitenland al een hele tijd aan de gang, en heeft sindsdien nog uitbreiding genomen. Soms heeft de chef daarbij een zekere rol in de operationele gang van zaken, maar even vaak gaat het om een louter publicitaire operatie, waarbij de chef een honorarium krijgt voor het gebruik van zijn naam. Ik vermoed dat dit het geval was bij Cospaia. De naam Bruneau zou niet veel later trouwens geruisloos worden verwijderd.

Het gesprek draaide niet uit op ruzie. Langs beide kanten werden de standpunten en argumenten duide-lijk geformuleerd. We namen hoffelijk afscheid. Van de advocaat van Jan Tindemans hoorde ik niets meer. *(Intussen is Jan Tindemans overleden, nvda).*

De tweede keer dat ik slechts één bordje toekende, was het weer prijs: deze keer kwam er een boze brief uit Sint-Kwintens-Lennik, een dorp in hartje Pajottenland. Daar hadden de eigenaars van de bekende taverne 't Krekelhof een trendy brasserie geopend. Dat was in landelijke gebieden een recent fenomeen en vond ik daarom een bespreking waard. Ik kwam echter van een kale reis thuis: de versheid en de bereidingswijze lieten te wensen over. Eigenaar Frank Dehandschutter kroop in de pen en verweet mij een vooroordeel te hebben tegenover de culinaire cultuur op het platteland. Het leek wel alsof ik dacht dat je alleen in grote steden goed kunt eten, zo insinueerde hij.

Dat vond ik een merkwaardige argumentatie en ik besloot de man op te bellen, die mij meteen op een scheldtirade onthaalde. Uiteindelijk kreeg ik toch de kans om mijn recensie punt voor punt toe te lichten en omstandig uit te leggen wat er precies fout was. Later zou ik meermaals vaststellen dat, zodra de emotie voorbij is, zo'n gedetailleerde uitleg wel gewaardeerd wordt. Tenslotte staat de eigenaar van een restaurant niet noodzakelijk altijd in de keuken. Hij weet niet altijd wat er precies op elk moment van de dag gebeurt, en uit de reacties van klanten kan hij niet altijd opmaken wat ze echt denken. Een recensie van iemand die veel restaurants bezoekt, en een bijbehorende argumentatie onder vier ogen, kan een verstandige restauranthouder ook zien als waardevol advies en een aanleiding om dingen te verbeteren.

Zelden heb ik zo goed Italiaans gegeten als in het restaurant Mangia e Bevi in de Lange Nieuwstraat in Antwerpen. Eigenaar was Dario Puglia, en het was zijn moeder, overgekomen uit Italië, die er goddelijk kookte met de beste ingrediënten. Door gezondheidsproblemen moest ze echter afhaken en het restaurant ging dicht. Na een ander culinair initiatief in de Haarstraat dat maar een kort leven was beschoren, vormde Dario het café van het FotoMuseum om tot bar-ristorante, waar zijn broer Christian in de keuken stond.

Ik trok er met hoge verwachtingen naartoe, maar het werd een afknapper van formaat. Ik ben zeker niet iemand die snel een gerecht terugstuurt, maar hier liep het echt de spuigaten uit: alles droop van het vet. Ook mijn tafelgenote kreeg geen hap door de keel. Een kok die de borden vrijwel onaangeroerd terug naar zijn keuken ziet komen, zou toch minstens geïnteresseerd moeten zijn in de reden waarom zijn klanten dat doen. Ik moest echter zelf aan de dienster vragen wat de kok daarvan vond. Ze ging naar de keuken en kwam terug met de korte mededeling dat de kok alles volkomen in orde achtte. De normale prijs werd bijgevolg aangerekend, inclusief de teruggestuurde gerechten. Dat was voor mij een reden om in mijn recensie te schrijven dat, aangezien de kok de normale prijs had aangerekend, ik mij verplicht zag om de lezer erop te wijzen dat die prijzen hoog waren, omdat de geleverde kwaliteit die van een wegrestaurant niet oversteeg.

Dario kon er niet om lachen. Hij belde – in een Italiaanse colère – zowel mij als Peter Vandermeersch op. Omdat ook Vandermeersch goede herinneringen had aan Mangia e Bevi, ging hij nadien zelf in Contrasto eten. Hij liet mij weten dat hij volledig akkoord kon gaan met mijn recensie. Ik vroeg mij af of Dario echt niet wist dat de kwaliteit ondermaats was. Hij moest toch een hoogstaande culinaire opvoeding van zijn moeder hebben meegekregen? Maar de les die ik uit vele jaren tafelervaring trek, is deze: als het echt niet goed is, weten de kok en/of de restauranthouder dat meestal wel. Ze geven het alleen niet toe.

Het is zeker niet zo dat ik alleen boze reacties kreeg als ik maar één bordje toekende. Er waren ook koks die twee of zelfs drie bordjes kregen en daar ontevreden over waren. Toen Luzine openging, het nieuwe restaurant van Jeroen Meus, was ik er snel bij. Ik had het wel voor deze jonge kok met branie. Ik kende hem al van zijn prille debuut in de keuken van restaurant Boardroom in Heverlee, waar hij culinair Vlaanderen verraste met hedendaagse en gedurfde fusiongerechten. Ik ging er vaak met plezier eten. Maar net in die periode brak Jamie Oliver door met zijn hippe kookprogramma's, en dat bracht de commerciële tv-zender vtm op ideeën: zou Jeroen niet de Jamie van Vlaanderen kunnen worden? Dat moest men de jonge kok geen twee keer vragen: voortaan ging hij koken in tv-formats. Van het een kwam het ander: je kon Jeroen Meus boeken voor 'homecookings' en feestjes, er verschenen kookboeken, hij werd gevraagd door Radio Donna, Vitaya, *De laatste show*, en hij kreeg zelfs een eigen programma, *Plat Préféré*. Het moet worden gezegd: Meus heeft présence op het scherm.

Maar met freelancemediawerk alleen verdien je het beleg op je boterham niet. Het is bovendien een onzeker bestaan: van de ene dag op de andere kan een zender beslissen dat het tijd is voor een nieuw gezicht. Jeroen Meus was nog maar 28 toen hij bekendmaakte dat hij opnieuw in de keuken ging staan: in zijn eigen restaurant deze keer.

De locatie was alvast vernieuwend: de eerste verdieping van de vroegere Marie Thumasfabriek langs de Leuvense vaart. Het interieur, een mengeling van klassiek barok en hedendaagse chic, vond ik geslaagd. En het personeel had duidelijke instructies gekregen om het publiek informeel maar met stijl te onthalen. Alles was voorhanden voor een fijne avond. Maar aan de kwaliteit in het bord was nog werk.

'Jeroen Meus staat al jaren in de spotlights van de media, en dat schept natuurlijk verwachtingen,' schreef ik. 'Die werden voorlopig niet helemaal ingelost.' De recensie was kritisch maar zeker niet over de hele lijn negatief. Ik meldde ook dat het restaurant nog maar net open was, en dat er wellicht nog het een en ander schortte aan de keukenorganisatie. Twee bordjes – een redelijke verhouding tussen prijs en kwaliteit – vond ik een rechtvaardige beoordeling.

Nog vóór de recensie in *De Standaard Magazine* was verschenen, kreeg ik Jeroen Meus aan de lijn.

'Ik vernam dat je bij mij bent komen eten,' zei hij.

'Ik ben inderdaad geweest,' zei ik. 'Je was trouwens aanwezig in de zaal.'

'Ja, maar we kennen elkaar alleen van de telefoon, niet?'

Ik herinnerde me nu dat hij mij inderdaad nog voor de opening van zijn restaurant had opgebeld. Hij had mij toen allerhande vragen gesteld over hoe ik werkte en welke criteria ik hanteerde, en had daarbij laten doorschemeren dat het research betrof voor een nieuw culinair programma. Ik had er verder geen aandacht meer aan geschonken, maar het begon mij nu te dagen dat het misschien research was geweest voor zijn eigen nieuwe restaurant.

'Hoe weet je dat ik ben komen eten?' vroeg ik.

Hij antwoordde daar niet echt op, mompelde vaag iets over 'contacten'. Ik nam aan dat mijn kredietkaart een rol had gespeeld.

De hamvraag weerklonk nu: 'Hoeveel bordjes ga je mij geven?'

'Het aantal bordjes deel ik eigenlijk nooit op voorhand mee,' zei ik. 'Ik kan je wel zeggen dat de recensie kritisch zal zijn, maar niet echt negatief.'

'Dus ook niet positief?'

'Nee, niet volledig positief.'

'Dus twee of drie bordjes?'

'Daar zal het wel op neerkomen.'

Voorlopig leek Jeroen Meus daar vrede mee te nemen. Maar twee dagen later belde hij mij opnieuw op.

'Ik zou toch eigenlijk wel exact willen weten hoeveel bordjes je mij gaat geven,' zei hij.

'Jeroen, als ik daarmee begin, dan gaan er nog anderen beginnen te telefoneren op voorhand.'

'Ja maar, weet je wel hoe belangrijk dit is voor mij? Dit is mijn eerste eigen zaak, mijn broodwinning, het is belangrijk voor mij dat dit lukt.'

Het spelen op de sentimenten is altijd een goede manier om informatie los te krijgen.

Jeroen gaf niet op: 'Je gaat mij toch niet al de grond inboren voor ik de kans heb gekregen om mij echt te bewijzen? We zijn nog maar net open. Alles staat nog niet op punt.'

Ik argumenteerde dat hij toch wel de volle prijs aanrekende, ook in de begindagen wanneer alles nog niet op punt stond. Op zijn aandringen doorliep ik het menu dat ik had genomen, en ik gaf daar mijn commentaren bij. Onder meer had ik het over langoustines die droog en vlokkig waren, een gevolg van een ontoereikende kwaliteit of van een slechte bakwijze.

'Verdomme,' vloekte hij. 'Ik had het nog aan mijn leverancier gezegd: die langoustines waren inderdaad niet de gewenste kwaliteit. Maar wat moet je daaraan doen als je ze 's morgens krijgt en je restaurant moet 's middags en 's avonds open zijn?' Zo ging het gesprek verder, ik had er mijn notities van die avond bijgenomen en ging er in detail met hem door.

'Maar hoeveel bordjes zijn dat dan?' vroeg hij opnieuw. Hij bleef daar maar over doorzeuren, wilde niet ophangen en ikzelf wilde het gesprek ook niet al te abrupt afbreken. Uiteindelijk konden we de conversatie toch beëindigen, maar – dat had ik verwacht – na het verschijnen van de recensie hing hij weer aan de lijn. Uiteraard vond hij twee bordjes te weinig. Hij hoopte dat ik nog eens zou terugkomen, en dan ook de score zou aanpassen als het verbeterd was.

Maanden later, in een interview met *De Morgen*, haalde hij uit naar 'de recensent van *De Standaard* die bij hem was komen eten' en die zich volgens hem arrogant had gedragen en zijn personeel had geschoffeerd. Dat was een flagrante leugen, ik gedraag mij nooit zo in een restaurant. Maar ik vergeef het deze jonge keukenschelm.

Nog later belde hij trouwens weer op. Hij had een nieuw menu klaar en wilde dat ik eens kwam proeven, 'geheel vrijblijvend'. Hij wilde gewoon mijn mening kennen en daaruit leren. Andere recensenten hadden dat ook gedaan, zei hij. Ik ben er niet op ingegaan.

Toen ik enkele jaren later op het vliegtuig naar Stockholm zat om te gaan eten bij enkele Scandinavische topkoks, zat Jeroen Meus met een filmploeg op dezelfde vlucht. Ik merkte dat ik er nog altijd in geslaagd was om mijn anonimiteit te bewaren. Of wist hij intussen wel hoe ik eruitzag en deed hij alsof? We zijn elkaar in Scandinavië niet meer tegengekomen, kennelijk had hij andere plannen dan ik.

Sommige koks vinden zelfs drie bordjes niet voldoende, zoals Viki Geunes van 't Zilte in Mol. Toevallig dineerde ik daar op een avond met de toenmalige hoofdredacteur van *De Standaard Magazine*, Filip Salmon, en gezien de grote reputatie van deze chef, waren we allebei nogal ontgoocheld. Mijn bespreking was dan ook kritisch, wat Viki Geunes niet kon appreciëren. Toen mijn boek *Vier bordjes* verscheen, met daarin alle restaurants die tijdens de voorbije jaren drie en vier bordjes hadden gekregen, belde hij de uitgever op met de mededeling dat hij ons verbood om zijn naam in het boek te vermelden. Juridisch gezien had hij geen been om op te staan, maar we hebben de recensie zonder probleem uit het boek verwijderd. Er zijn goede restaurants genoeg. Het toont wel aan hoe koks steeds meer bezig zijn met hun eigen public relations en reclame. Net als merken houden ze hun imago zorgvuldig in het oog. Daarover later meer in dit boek.

Koks zijn over het algemeen nogal snel op hun tenen getrapt. Dat komt omdat ze iets creëren dat ze als heel persoonlijk ervaren, en waar ze bovendien dag en nacht mee bezig zijn. Ze vinden kritiek eigenlijk zelden terecht. Ze lezen en onthouden ook altijd dat ene zinnetje dat negatief is of dat ze als negatief interpreteren.

Nadat hij zijn sterrenrestaurant De Matelote had gesloten, was kok Didier Garnich met een heel eenvoudige formule van 'eten aan de toog' begonnen, onder de naam Gin-Fish. Hij vertelde in een interview met *De Morgen* dat ik had geschreven dat Gin-Fish niet meer was dan een veredelde frituur. Dat verraste mij, ik meende mij te herinneren dat ik daar heel goed had gegeten, zij het nogal duur, en dat ik dat ook had geschreven. Ik herlas daarom mijn recensie en vond de zin terug waarop hij doelde: 'Gin-Fish is klein en ziet eruit als een veredelde frituur.' Ik had het dus alleen over het uitzicht van zijn nieuwe eethuis gehad. Maar Garnich had blijkbaar gelezen (en onthouden) dat Gin-Fish 'niet meer is dan een veredelde frituur'. Dat is natuurlijk helemaal iets anders.

Over de chef van Het Gebaar, Roger Van Damme, schreef ik ooit dat hij zijn verleden als patissier niet kon verbergen: hij verwerkte in zijn gerechten vaak een onnodige zoete toets (wat mij later overigens ook zou opvallen bij een van zijn leerlingen, Jan Tournier van het eethuis Cuchara in Lommel). Zeker vier jaar later ontmoette ik Roger Van Damme toevallig tijdens een diner met gemeenschappelijke vrienden: het was het eerste waarover hij mij aansprak. Uit de recensie die verder lovend was, en die ik drie bordjes had gegeven, had hij alleen dat ene zinnetje onthouden.

Een wel heel merkwaardige reactie kwam van kok Jürgen Gaens van Jürgen Eetboetiek in Hasselt. Die was al boos over het feit dat ik was komen eten zonder het te melden. Toen de fotograaf enkele dagen later langskwam om een foto te nemen, werd hij aan de deur gezet. De eetboetiek werd dan maar aan de buitenkant gefotografeerd. Ik vroeg mij af waarom hij zo reageerde. Was hij niet zeker van zijn zaak? Wist hij dat hij nogal zuinig was met de porties, en dat de prijs bijgevolg nogal hoog was voor wat hij aanbood? Zulke zaken weet je immers als kok. 'De porties zijn opmerkelijk klein,' schreef ik. 'Ik ben zelf een kleine eter en ging toch met honger van tafel.' Ik gaf twee bordjes. Maar geen boze brief of telefoon deze keer.

Kok Bart De Pooter van De Pastorale was zelfs twee jaar na datum nog kwaad over een kritische bespreking van zijn restaurant. Dat ervaarde ik op een avond toen ik uitgenodigd was door champagneproducent Nicolas Feuillatte, die mij zijn gamma wilde laten proeven bij een aangepast diner. Bart De Pooter overtrof zichzelf die avond: het werd een culinaire belevenis op topniveau. Toen hij na de maaltijd zijn klanten kwam groeten aan de tafels, feliciteerde ik hem daarmee. Hij reageerde echter kribbig en nors, en begon opnieuw over mijn bespreking van twee jaar geleden. Hij suggereerde zelfs dat hij mij niet had binnengelaten, als ik niet door Nicolas Feuillatte was uitgenodigd geweest.

De bespreking in kwestie dateerde van een periode waarin Bart De Pooter plannen had om een restaurant in Hongkong te openen, op verzoek van een rijke hoteleigenaar (het project ging uiteindelijk niet door). Hij had toen ook een nieuwe souschef aangeworven, die de ambitie mee moest helpen waar te maken. Zat De Pooter al met zijn hoofd in Hongkong? Kon de souschef het niveau niet aan? In elk geval had ik een teleurstellende ervaring in De Pastorale. Ik schreef dat dan ook naar waarheid neer, maar vermeldde er wel bij dat dit ongewoon was voor Bart De Pooter, die ik nog altijd een topkok vind. Gezien de hoge prijzen die je in De Pastorale betaalt, gaf ik toen een score van twee bordjes, wat staat voor een redelijke prijs-kwaliteitsverhouding. Vooral dat was bij De Pooter in het verkeerde keelgat geschoten. Het zat er twee jaar later kennelijk nog altijd in.

Bij boze reacties is voor een culinair recensent één ding heel belangrijk: je moet voor jezelf weten dat je recht in je schoenen staat, dat je kunt argumenteren waarom je kritiek had. Belangrijk is ook de steun van de hoofdredactie. Ik kan mij voorstellen dat een recensent zonder die steun makkelijker zou overwegen om zich in het vervolg terughoudender op te stellen.

Toch hebben we bij *De Standaard* intern een paar keer van gedachten gewisseld over het nut van negatieve recensies. Je kunt je als krant immers de terechte vraag stellen waarom een lezer de restaurantrubriek leest: om te weten waar hij níet of om te weten waar hij wél moet gaan eten?

Het logische antwoord is natuurlijk: om te weten waar hij wél moet gaan eten. Dat zou dan betekenen dat een restaurantrubriek zich beperkt tot het bespreken van de goede restaurants, terwijl de slechte niet vermeld worden. Een keurige politiek, die sommige media trouwens volgen maar die ook vragen oproept. Zoals: welke waarde heeft een positieve beoordeling nog als alle besprekingen positief zijn? Welk effect heeft dat op de algehele geloofwaardigheid van de rubriek? En meer praktisch: wie betaalt dat slechte restaurant dan dat je niet mag bespreken? Is de recensent of het medium bereid om die kosten te dragen? Wellicht niet. Wie moet die kosten dan wel dragen? Er schiet maar één partij meer over: het restaurant zelf. Dan kom je al gauw in het straatje van de schimmige afspraken terecht: 'Ik zal je restaurant niet bespreken als ik niet hoef te betalen.' Gratis eten in ruil voor stilzwijgen. Waar eindigt dat dan?

Zo logisch en eenvoudig is het dus niet om 'alleen de goede restaurants' te bespreken. Er zijn namelijk niet alleen goede restaurants. Wat moet je bijvoorbeeld doen als er een nieuw, ambitieus restaurant is opengegaan en dat valt tegen? Als je alleen de goede restaurants bespreekt, dan kun je dat nieuwe restaurant niet vermelden. Bijgevolg lijkt het alsof je niet op de hoogte was van de opening, terwijl andere media er wel melding van maken, omdat zij er bijvoorbeeld voor gekozen hebben om geen duidelijke oordelen te vellen.

In principe ben ik het eens met de stelling dat lezers in de eerste plaats willen weten waar ze wél moeten gaan eten. Ik streef dan ook naar meer positieve dan negatieve besprekingen. Paradoxaal genoeg heb ik gemerkt dat lezers vaker en positiever reageren op een negatieve recensie. Ze houden kennelijk van een duidelijk standpunt, het verhoogt hun algemene vertrouwen in de rubriek (en bijgevolg ook in de positieve recensies), en – jawel – ze willen ook wel graag weten waar ze hun geld zeker níet moeten uitgeven. Restaurantbezoek is duur. De meeste mensen willen op voorhand zoveel mogelijk zekerheid dat hun geld goed besteed zal zijn. Misschien is dat wel de belangrijkste reden om restaurantrubrieken te lezen. Want als je eenmaal in een restaurant zit, moet je betalen. Of het nu goed is of niet.

Na een negatieve recensie kreeg ik ook weleens te horen dat ik geen rekening hield met het feit dat er vaak een gezin van zo'n restaurant moet leven, en dat ik dus eigenlijk broodroof pleegde. Ik kan niet ontkennen dat ik gevoelig ben voor dat argument. Daarom zal ik ook nooit een restaurant afbreken als ik voel dat de intenties juist en eerlijk zijn en dat er toevallig fouten werden gemaakt.

Maar staat men er weleens bij stil dat de klant soms ook beroofd wordt? In de huidige mediahype rond koken verhoogt de druk op de media om eerder de kant van de koks en de restaurants te kiezen. En in dat klimaat kan het vreemd overkomen dat iemand nog eens de kant van de klant kiest.

Men vergeet weleens hoe duur een restaurantbezoek is voor de meeste mensen. Iemand die pakweg € 2000 netto per maand verdient (€ 100 per dag dus), is door één avondje uit in een restaurant (met twee personen) makkelijk meer kwijt dan wat hij met een hele dag werken heeft verdiend. Vele mensen verdienen niet eens € 2000 netto per maand. Ze kunnen het zich dus amper permitteren om uit eten te gaan, en als ze het dan toch doen, worden ze soms nog bedrogen door ondermaatse kwaliteit. Als je een negatieve recensie als broodroof bestempelt, wat is een slechte maaltijd dan? Roof van het zuurverdiende geld van klanten.

Je mag bovendien niet onderschatten hoe gevaarlijk voor de gezondheid een slecht restaurant kan zijn, als er bijvoorbeeld onvoldoende aandacht is voor de versheid van de producten en de hygiëne. Bacterieel besmet voedsel kan zelfs de dood veroorzaken. Zoals u merkt, is mij dat nog niet overkomen, maar ik ben wel al ziek geweest van het eten in restaurants. En mijn kinderen ook. Ten opzichte van kinderen zijn restauranthouders vaak nog cynischer dan tegenover volwassenen, omdat ze ervan uitgaan dat kinderen het toch niet zullen merken. Al vaak heb ik borden teruggestuurd omdat het eten verdacht rook of omdat vlees of vis onvoldoende gebakken was. Maar af en toe ontsnapte er eens iets aan mijn aandacht, of zaten er bacteriën in het eten die je niet kunt ruiken of proeven. Dan vervloekte ik de kok als een van mijn kinderen de hele nacht ziek was en moest braken.

Ik heb geleerd om niet al te veel medelijden te hebben met koks die slecht eten serveren. Ze doen dat immers niet onwetend, integendeel: ze weten het maar al te goed. Ze willen minderwaardige restjes eten kwijt, en ze proberen die aan een argeloze klant te slijten.

Koks zijn meesters in het vinden van excuses als het eten niet voldeed. 'We zijn nog maar net open,' hoor je vaak. De organisatie zou nog niet op punt staan, er worden nog fouten gemaakt, het restaurant lijdt nog aan kinderziektes. Maar diezelfde koks – die dus eigenlijk toegeven dat de kwaliteit niet optimaal is – laten hun klanten wel de volle pot betalen.

Dat het restaurant 'nog maar net open' is, vind ik ook om een andere reden een zwak excuus voor een ondermaatse maaltijd. Er is namelijk meer kans op een slechte maaltijd naarmate het restaurant lánger open is. In het begin is de motivatie nog volop aanwezig, iedereen is fris en doet hard zijn best. Maar vaak slijt dat met de jaren. Het is mij meermaals overkomen dat een restaurant in het eerste jaar van zijn bestaan perfect presteerde, en na een paar jaar de drive helemaal kwijt was.

Een ander excuus dat vaak gebruikt wordt, is dat een recensie slechts een 'momentopname' is. Wat wil dat eigenlijk zeggen? Dat de restauranthouder of de kok zich het recht toe-eigent om op bepaalde momenten, voor bepaalde klanten dus, minder goed te presteren? Stelt u zich voor dat u een computer koopt die slecht blijkt te werken. Aanvaardt u dan het argument dat die aankoop maar een momentopname is? Of u koopt een blik tomaten van een bekend merk, en de inhoud ervan blijkt niet goed te zijn. Mag de fabrikant u dan melden dat het slechts om een momentopname gaat? Als van de klanten van een restaurant verwacht wordt dat ze rekening moeten houden met momenten, waarom zouden ze dan veel geld uitgeven in een restaurant gerund door professionals? Dan kun je al beter thuisblijven.

Natuurlijk is het perfect mogelijk en menselijk dat een kok een slechte dag heeft, dat de leverancier niet of slecht geleverd heeft, of dat er plots een griepepidemie het personeelsbestand heeft getroffen. Maar die risico's van het vak hoort de klant niet te dragen: hij betaalt hetzelfde als iemand die de vorige dag of maand is gekomen, en heeft dan ook recht op dezelfde kwaliteit. Ik heb nog nooit een restauranthouder ontmoet die een korting voorstelde omdat hij een 'minder goed moment' kende.

Zou het excuus van de momentopname ook niet verbergen dat de koks het eigenlijk vervelend vinden dat een recensent onaangekondigd en anoniem komt eten? Als een kok zou weten wie er in de zaal zit, zou het moment snel veranderen. Eigenaardig genoeg komt een slecht moment alleen voor als hij denkt dat er gewone klanten in de zaal zitten, en dan vooral als ze geen vaste klant zijn.

Nu kan ik de boosheid van koks wel deels begrijpen. Ze staan de hele tijd te zweten in hun keuken, dag in dag uit. En dan komt zo'n recensent de benen onder een van hun tafels schuiven, om vervolgens eens te vertellen hoe goed of hoe slecht het wel is. Toch zou ik hun willen vragen om ook de andere kant van de medaille te zien. Hoeveel kmo's en middenstanders krijgen zoveel gratis reclame als restaurants en koks? Een positieve recensie kan een bijzonder positief commercieel effect hebben, zonder dat men er ook maar iets voor hoeft te betalen. Ik kom uit de reclamewereld en weet maar al te goed hoeveel geld een pagina media-aandacht waard is. Andere bedrijven hebben er veel geld voor over en moeten die pagina dan ook nog eens zelf invullen.

Koks zijn het echter gewoon geworden om opgezocht en gekoesterd te worden door de media. Ze zijn sterren van het moderne entertainment geworden, en tussen media en koks zijn vriendschapsbanden gegroeid. De afstand, nodig om onafhankelijk en kritisch te blijven, is daardoor verkleind.

Als er dan al eens een negatieve recensie verschijnt, wordt dat gezien als een ongehoord doorbreken van de vredelievende verstandhouding. Koks vinden het vandaag niet alleen normaal dat ze gratis media-aandacht krijgen, ze gaan er stilaan ook van uit dat die aandacht altijd positief moet zijn.

6. Geen halve bordjes

'Weet je wat ik goed vind?' zei Peter Vandermeersch. 'Dat je geen halve bordjes geeft.' Ik wist wat hij bedoelde: hij hield van duidelijke keuzes. En van een strikt en strak format. Als GaultMillau Hof van Cleve 19,5 punten op 20 geeft, dan is de logische vraag: waarom net dat halve puntje minder? Van GaultMillau heb ik daar nog geen sluitende uitleg over gehoord.

Het is natuurlijk makkelijker gezegd dan gedaan. Je twijfelt uiteraard soms tussen pakweg twee of drie bordjes. Maar als je met halve bordjes begint, ga je dat binnen de kortste keren uit luiheid of besluiteloosheid steeds vaker doen, en gaat de scherpte van het format verloren. Uiteindelijk gaat ook de lezer dat als luiheid of besluiteloosheid ervaren. En als je de lezer niet meer mee hebt, dan kun je de hele rubriek net zo goed opdoeken. Het verplicht je ook als recensent zelf om geen half werk te verrichten. Dat verwachten we ook van een kok: dat hij geen half werk levert. Daarom moet een recensie doordacht en onderbouwd zijn.

Je hoort weleens de kritiek dat smaak subjectief is, en de recensie van een restaurant bijgevolg ook. Ik ben het daar niet mee eens. Het gaat namelijk niet alleen om smaak. Je houdt als recensent rekening met een hele reeks van factoren: hieronder heb ik er elf opgesomd. Het zijn de factoren waarop ik hoofdzakelijk let en waarop de uiteindelijke beoordeling gebaseerd is. En ze zijn volkomen objectief vast te stellen.

1. De versheid van de ingrediënten. Een cruciaal punt. Een restaurant zonder verse ingrediënten kan onmogelijk de score van vier bordjes halen.

2. De kwaliteit van de ingrediënten. Hier gaat het om inherente eigenschappen van de ingrediënten, los van de versheid, die te maken hebben met onder meer herkomst en kweekmethoden. Zo maakt het voor de smaak, de textuur en de gezondheid van een vis een groot verschil of hij industrieel gekweekt werd of met de lijn gevangen op kleine boten. Voor vlees gelden gelijkaardige verschillen, afhankelijk van het ras van het dier, de kweekmethode, het voeder dat het heeft gekregen... Ook bij groenten en fruit proef je grote verschillen naargelang van de herkomst, de teeltwijze, het gebruik van sproeistoffen...

3. De juiste cuisson. Subjectief is natuurlijk hoe je die als klant wenst: de ene zal een biefstuk saignant verkiezen, de andere à point. Maar je kunt objectief vaststellen of de gevraagde bakwijze werd gerespecteerd.

4. Wordt er à la minute gekookt of gaat het om opgewarmde kost? Ook dat is geen subjectief gegeven: in een keuken waar de bereiding (of althans het belangrijkste deel ervan) op het moment zelf gebeurt (of zo kort mogelijk voor het opdienen), vertonen de gerechten meer smaakdefinitie, smaakexpressie, levendigheid en fraîcheur. Vervolgens moeten ze, als ze eenmaal klaar zijn, zo snel mogelijk op de tafel van de klant belanden. Gerechten die te lang onder de 'salamander' staan te wachten, of die lauw worden opgediend, verliezen een belangrijk stuk van hun voordeel van de bereiding op het moment zelf.

Uiteraard kan geen enkel restaurant alles op het moment zelf klaarmaken. Er worden altijd ingrediënten voorgesneden, voorbereid, voorgekookt, gekoeld, luchtdicht verpakt, ingevroren... De zogenaamde mise-en-place (het vooraf klaarmaken en klaarzetten van alle elementen die nodig zijn voor een efficiënte service) is een must in een modern restaurant. De goede restaurants zorgen er evenwel voor dat die voorbereidingen zo dicht mogelijk bij het moment van opdienen gebeuren. Er is een groot verschil tussen voorbereide ingrediënten die één dag of die één week in de koelkast liggen. Het verschil is uiteraard nog groter tussen gerechten die in hun geheel vooraf bereid worden en gerechten waarvan dat alleen met enkele samenstellende delen gebeurt.

Het moment van de mise-en-place is ook afhankelijk van het type ingrediënt. Sommige ingrediënten (zoals fonds voor sauzen) kan men één week vooraf klaarmaken en in porties invriezen, andere vereisen een mise-en-place op de dag zelf. De beste koks proberen zich zoveel mogelijk aan een mise-en-place net voor de middag- of avondservice te houden, en bepaalde afwerkingen van gerechten doen zij altijd op het moment zelf.

5. *De compositie.* Als een kok verschillende ingrediënten met elkaar combineert, is het uiteraard noodzakelijk dat het geheel een meerwaarde heeft ten opzichte van de afzonderlijke delen. Dat kan een verrassende harmonie zijn, maar ook een boeiend contrast. Er moet in ieder geval iets 'gebeuren' in het bord, er moet een samenhang of spanning tussen de ingrediënten worden gecreëerd. Met een muzikale metafoor kun je zeggen dat je moet voelen dat je met een compositie te maken hebt in plaats van met een opeenvolging van los van elkaar staande muzieknoten.

6. *De creativiteit.* Je gaat ook naar een restaurant omdat je culinair verrast wilt worden. Je wilt iets eten wat je thuis zelf niet kunt klaarmaken, of waar je nog nooit aan gedacht hebt. Dat hoeft niet noodzakelijk te gaan om culinaire acrobatieën. De kok kan zijn creativiteit ook tonen door een onverwacht accent in een bekend gerecht, of een eigen interpretatie van een klassieker.

7. *De verfijning.* Net zoals bij wijn, is verfijning (of finesse, raffinement) een factor die een extra kwaliteitsgevoel toevoegt. Verfijning kan zich op diverse manieren uiten: in een nobele, zalvende, satijnige textuur van ingrediënten, in een zuivere, gedefinieerde smaak, in een beheersing van het totale vetgehalte in een gerecht...

Verfijnd is het tegendeel van boers, slordig, zwaar en vet.

8. De lichtheid (en gezondheid). In een eigentijdse keuken, zeker gezien alle informatie waarover we vandaag beschikken en de voedselcrisissen die we al gehad hebben, is het belangrijk dat de kok erop let dat zijn maaltijden licht en gezond zijn. Dat heeft te maken met de eerder genoemde versheid en kwaliteit van de ingrediënten, en met het vermijden van op voorhand klaargemaakte gerechten die opgewarmd worden.

Maar het gaat ook om het beperken van ingrediënten die in de klassieke Franse keuken vaak gebruikt werden (en worden), zoals boter, room en foie gras. Er bestaan vandaag voldoende kooktechnieken om het gebruik van vet te beperken zonder aan smaak te verliezen, integendeel zelfs: waarbij de oorspronkelijke smaak van de ingrediënten beter behouden blijft (denk bijvoorbeeld aan de eenvoudige techniek van het stomen). Koks horen vandaag ook voldoende aandacht te hebben voor groenten en voor de verantwoorde kweek daarvan.

9. De presentatie. Men zegt weleens dat alleen de inhoud van het bord telt, maar een andere uitdrukking zegt dat we ook met onze ogen eten. Van een professionele kok verwacht je dat hij aandacht heeft voor op z'n minst een verzorgde presentatie. Als dat visuele aspect bovendien verrassend mooi en/of origineel is, en een meerwaarde geeft aan de culinaire beleving, dan is dat zonder meer een pluspunt. Een echt goede kok heeft daar trouwens altijd oog voor. Een ervaren restaurantbezoeker heeft vaak aan één blik in het bord voldoende om te weten uit welk hout de kok gesneden is.

10. De wijnkaart. Eten en drinken gaan samen. En een verfijnde keuken gaat zeker samen met verfijnde wijnen. Mijn ervaring is dat een gebrek aan aandacht voor wijn meestal gepaard gaat met een gebrek aan aandacht voor het eten. Ook voor de wijn is presentatie trouwens belangrijk. Goede wijnglazen zijn een must voor een restaurant.

11. De prijs (last but not least). Zeker in het beoordelingssysteem van de bordjes is dit een cruciaal criterium. Als basis hiervoor worden de prijzen van de menu's gebruikt, omdat die het meest constant blijven en het visitekaartje van het restaurant zijn. Een menu is als het ware de beste prijs-kwaliteitsverhouding die een restaurant te bieden heeft. Het is bijgevolg een betrouwbare en vergelijkbare indicator voor het prijsniveau.

Vandaar dat ik al jaren een uitgebreide lijst aanleg van prijzen van menu's (in meerdere gangen) die ik voortdurend update. Zo beschik ik over een soort van index, een prijsbarometer, waarbij ik het prijsniveau van een restaurant kan vergelijken met het gemiddelde prijsniveau van restaurants in zijn categorie. Het gaat er dus niet om de allergoedkoopste te zijn, ik vergelijk geen appelen met peren. De bedoeling is om te achterhalen wie, binnen de groep van restaurants die een vergelijkbare kwaliteit bieden, de meest competitieve prijzen heeft.

Door die lijst merk ik snel dat een restaurant zich bijvoorbeeld qua prijs meet met de top, terwijl de kwaliteit in het bord zich daarmee niet kan meten. Of omgekeerd: dat een restaurant topkwaliteit biedt, terwijl het qua prijs in de lagere categorieën zit. Op die manier kun je de prijs-kwaliteitsverhouding objectiveren.

Ik heb al gemerkt dat het heel belangrijk is om die prijzen regelmatig te updaten. Want restaurants verhogen hun prijzen meer en vaker dan we denken. Zeker wanneer ze een bepaalde bekroning krijgen (een ster, meer punten, vier bordjes...), zien ze dat al gauw als een aanleiding om hun prijzen op te trekken. Op dit thema ga ik verderop in dit boek nog dieper in, met concrete voorbeelden.

Sommige mensen vinden de vriendelijkheid en efficiëntie van de bediening en de algehele sfeer in een restaurant belangrijk. Ik vind dat ook, en daarom besteed ik er in mijn recensies aandacht aan, maar in de uiteindelijke beoordeling (het aantal bordjes) laat ik het niet meespelen.

Een recensie is dus lang niet zo subjectief als weleens wordt gedacht. Maar eigenlijk zou subjectiviteit op zich niet eens het grootste probleem hoeven te zijn. Veel belangrijker is de onafhankelijkheid van de recensent. Met andere woorden: wordt het restaurant onaangekondigd en anoniem bezocht, wordt de rekening betaald? Dat is niet altijd een evidentie.

Redacties van media hebben het niet makkelijk vandaag. Ze krijgen steeds minder financiële middelen ter beschikking (onder meer door de onzekere reclame-inkomsten) en tegelijk wordt van hen geëist dat ze het publiek over steeds meer onderwerpen informeren.

De vaste journalisten hebben al werk genoeg, en kunnen bovendien niet voor alle onderwerpen dezelfde expertise aan de dag leggen. Vandaar dat er een beroep wordt gedaan op freelancecolumnisten, die niet voltijds betaald hoeven te worden en de mogelijkheid hebben om zich in één enkel onderwerp te verdiepen.

Gastronomie is een van die onderwerpen. Vroeger werd het al eens toebedeeld aan journalisten die bijna met pensioen gingen. Ze gingen naar perslunches en konden op die manier 'aangenaam uitbollen'. Dergelijke lunches werden ook als motiverende beloning gebruikt: omdat hij of zij goed gepresteerd had, mocht de journalist eens 'lekker gaan eten'. Er werd wel een verslagje verwacht.

Vandaag heeft het publiek zelf zoveel kennis over gastronomie dat zo'n handelwijze niet meer kan: een recensent die niet over de nodige kennis en onafhankelijkheid beschikt, valt onherroepelijk door de mand. Maar daar staat wel een financiële inspanning tegenover. Als men wil dat de recensent een echt onafhankelijk oordeel velt, dan is er maar één manier: de rekening moet worden betaald.

In mijn geval stelde de krant mij meteen voor dat de recensie werd vergoed volgens de normale tarieven voor freelancers en dat de rekening van het restaurant werd betaald voor twee personen. Vooral die toevoeging 'voor twee personen' is van groot belang. Niet zozeer omdat één persoon in een restaurant altijd opvalt: koks weten dan al gauw dat het om een inspecteur of recensent gaat. Maar vooral omdat de recensent – indien hij verplicht wordt om alleen te gaan eten, wat een beetje triest is – toch in de verleiding zou komen om in te gaan op uitnodigingen van restaurants of hun pr-bureaus. *De Standaard* hanteert hier dus een duidelijke politiek zodat je als recensent niet verplicht bent of verleid wordt om in een grijze zone terecht te komen.

Want die grijze zone bestaat. Gastronomie is een van de favoriete mediaonderwerpen geworden. En de communicatie die van restaurants en koks uitgaat naar de media wordt alsmaar professioneler. Wat in het buitenland al volop voorkomt, doet ook zijn intrede in ons land: gespecialiseerde publicrelationsbureaus gaan in opdracht van restaurants werken. Ze sturen onder meer uitnodigingen naar recensenten om gratis te komen eten (voor twee personen, trouwens). Bij de opening van nieuwe restaurants worden perslunches georganiseerd. Aan recensenten wordt gevraagd om ook boeken, reportages en programma's over koks en restaurants te maken, niet in opdracht van hun media, maar in opdracht van de koks en restaurants zelf. Daardoor ontstaan er banden die het achteraf moeilijker maken om nog een kritische recensie te schrijven.

De individuele recensenten treft hierbij niet altijd schuld: ze krijgen van hun media misschien niet de nodige middelen om hun opdracht volledig onafhankelijk te vervullen. Die strijd heb ik gelukkig niet moeten voeren, en ik zou hem ook niet willen voeren. Ik geef daarbij graag toe dat ik makkelijk praten heb omdat ik daarnaast een voltijdse job heb en dus niet van freelanceactiviteiten in de media hoef te leven.

Eén zaak blijft in alle omstandigheden overeind: het is pas als de rekening wordt betaald, dat je je helemaal kunt gedragen als een gewone klant. Het valt niet te overschatten hoe belangrijk dat is, en welk verschil het kan maken als het restaurant weet dat er een recensent aanwezig is. Natuurlijk zal de kok dan geneigd zijn om een speciale inspanning te doen. Wie slechts over een middelmatig talent beschikt, zal zich niet plots tot een virtuoos ontpoppen. Maar hij kan wel zijn beste en meest verse ingrediënten gebruiken, nauwgezet letten op de gaartijd, de presentatie beter verzorgen, de porties wat aandikken, een aantal onderdelen van de maaltijd à la minute bereiden (terwijl hij dat normaal niet doet) en de service wat vlotter laten verlopen. Als je als recensent aankondigt dat je komt, kun je weliswaar een beeld krijgen van wat de kok kán, maar niet van wat hij of zij in normale omstandigheden voor normale klanten dóet. En dat is nu precies wat *De Standaard Magazine* altijd graag wil weten.

Men vraagt mij weleens of het mogelijk is om mijn anonimiteit volledig te bewaren. Het eerlijke antwoord daarop is nee. Natuurlijk zijn er koks en sommeliers die mij nu kennen, of mij herkennen. Toch kan de recensent enkele vuistregels hanteren die dat onvermijdelijke fenomeen binnen de perken houden.

Zo kan hij zijn aanwezigheid op persevenementen beperken tot degene die nuttig en nodig zijn om zijn algemene kennis te updaten. Hij moet tevens weerstaan aan de neiging, voortspruitend uit menselijke ijdelheid, om vaak in de media te komen. Wat niet wil zeggen dat hij zich te allen prijze moet verstoppen, want dat wekt ook weer argwaan, en zo belangrijk is het onderwerp gastronomie nu ook weer niet.

Of de kok de recensent nu kent of niet, het is altijd beter om onder een andere naam te reserveren. Als hij pas herkend wordt als hij al in het restaurant zit, heeft de kok alvast geen tijd meer om andere ingrediënten in huis te halen, of om gerechten die hij lang op voorhand heeft klaargemaakt, te veranderen.

Wat het nemen van notities betreft, is het uiteraard goed om dat zo onopvallend mogelijk te doen, maar niet extra geheimzinnig. Hoe geheimzinniger je je gedraagt, hoe meer je juist de indruk wekt een recensent te zijn. En wat als de restauranthouder opmerkt dat je nota's neemt? Het is mij zelden overkomen dat men mij op de man af vroeg of ik een recensent ben. En als het gebeurde, was het meestal op het einde van de maaltijd. Dan waren de bordjes in gedachten al toegekend.

7. Speuren naar bordjes

Hoe ik al die restaurants op het spoor kom? Een in vele jaren opgebouwde kennis helpt natuurlijk. Maar vanzelf kom je niet te weten dat er een nieuw restaurant opengaat, of dat er veranderingen op til zijn in een bestaand restaurant: daarvoor moet je je extra informeren. Als recensent heb je verschillende bronnen ter beschikking. Eerst en vooral zijn er de restauranthouders en koks zelf, van nature goed geplaatst om nieuws over hun eigen restaurant aan te kondigen of om te weten waar aankomend talent onder hun keukenpersoneel naartoe is.

Ook sommeliers zijn – ondanks of juist dankzij hun discrete rol – altijd goed op de hoogte van het reilen en zeilen in horecaland. Enthousiaste collega-foodies en collega-recensenten komen ook weleens met een tip, hoewel laatstgenoemden die meestal voor zich houden tot hun recensie verschenen is. Niet te onderschatten zijn de wijnhandelaars, vaak bij de eersten om te weten of er een nieuw restaurant opengaat omdat zij al op voorhand worden gevraagd om wijn te laten proeven en eventueel te leveren. Ten slotte komt de laatste jaren steeds vaker het fenomeen van de publicrelationsdame in beeld (het zijn nu eenmaal meestal dames die in deze branche actief zijn). Zij werkt in opdracht van een restaurant, en haar taak bestaat erin het zo vaak en zo positief mogelijk in de media te laten komen.

Toeval speelt soms ook een rol. Zo belandde ik ooit in restaurant Marcus in Deerlijk, waar toen de jonge, onbekende kok Jason Blanckaert (ex-Hof van Cleve) kookte. Hij was voor mij een revelatie en ik kende het restaurant dan ook vier bordjes toe. Maar enkele weken later besliste de baas, Davy Steelandt, onverwachts om het restaurant te sluiten. Dat was erg vervelend, voor mij én voor de lezers. Maar ik besloot om van de nood een deugd te maken en belde de jonge kok op om te vragen waar hij naartoe ging. Dat bleek C-Jean in Gent te zijn, een restaurant dat al twintig jaar lang een trouwe clientèle had opgebouwd en waarover eigenlijk niet (meer) werd geschreven. Dat Jason Blanckaert naar C-Jean ging, was dus in feite geen nieuws, en normaal gezien zou het onopgemerkt voorbij zijn gegaan. Maar omdat ik toevallig, net daarvoor, bij Marcus had ervaren hoeveel talent deze jongeman heeft, kon ik er nieuws van maken. De eigenaar Filip Van Thuyne vertelde mij achteraf dat mijn positieve recensie voor een toeloop van nieuwe klanten had gezorgd.

Aanvankelijk bleef een aantal traditionele gerechten op de kaart van C-Jean staan, maar stilaan maakten ze plaats voor meer originele creaties in de stijl van Jason Blanckaert. C-Jean werd uiteindelijk zelfs bekroond met een Michelinster. Uiteraard kenden de prijzen ook een opwaartse evolutie. Een nieuwe goede kok kan dus heel wat teweegbrengen in een restaurant. Samen met een recensent die het signaleert.

Op zekere dag vroeg een bevriend wijnhandelaar, Luc Hoornaert, mij of ik ooit al eens een grand cru classé had gedronken op een camping. Hij vertelde me dat in Bredene (*of all places*) een camping werd gerund door een fervente wijnfreak, die in het restaurant van zijn camping topwijn schonk in Riedelglazen. In zulke bijzondere ervaringen ben ik altijd geïnteresseerd, en Luc stelde voor om er eens samen naartoe te gaan. Aldus geschiedde.

De camping in kwestie heet Park Costa, en het restaurant ervan kreeg de naam De Wikke (omdat de eigenaar Pieter Vitse heet en de vitse een plantensoort is, verwant aan de wikke – u volgt nog?). Toen ik er aankwam, verwachtte ik allerminst dat je er een sublieme selectie van 's werelds grootste wijnen zou kunnen drinken. We parkeerden onze wagen vlak bij de slagboom van de camping. Die is acht hectare groot en telt 550 staanplaatsen, waarvan er 530 het hele jaar door bezet zijn.

Via de receptie kwamen we in een café, met de obligate tapkast, biljart en discobar. En naast dat café bevond zich de ruimte die als restaurant dienstdeed. Op elke tafel lag een papieren onderlegger met reclame voor De Kusttram. Het eerste signaal dat dit niet het zoveelste campingrestaurant was, hing aan de muur: een affiche met de wijnetiketten van Mouton-Rothschild. Dat was de wijn die Pieter Vitse aan zijn vader had gevraagd voor zijn dertiende (!) verjaardag. Sindsdien was zijn passie voor wijn alleen maar gegroeid. Pieter studeerde af aan de hotelschool Ter Groene Poorte in Brugge en nam in 1998, samen met zijn echtgenote, de camping van zijn vader over. Meteen liet hij er twee wijnkelders graven. Daarin legde hij geen gewone drinkwijntjes: hier lag de top van de wereld.

Een deel daarvan bevond zich op de wijnkaart van het restaurant, maar voor wie het vroeg, dook Pieter graag in zijn kelder. De wijnkaart maakte niettemin al indruk: Knoll en Bründlmayer (uit Oostenrijk), Künstler (uit Duitsland), Deiss, Zind-Humbrecht, Dauvissat, Verget en Guigal (uit Frankrijk), Castello Banfi, Fontodi en Fontanafredda (uit Italië), Casa Lapostolle (uit Chili), Grosset en Petaluma (uit Australië)... De liefhebbers van Bordeaux konden een Chasse Spleen 1995 bestellen voor € 35,90, een Clerc Milon 1995 voor € 48,10, een Latour '89 voor € 195. Een fles champagne Roederer kostte € 43. Wie de prijzen van wijn een beetje kent, weet dat geen enkel restaurant daaraan kan tippen.

Ik bleef er eten en vroeg mij af of dit ooit al gebeurd was: een culinair recensent die in het restaurant van een camping eet. Maar de mengeling van Vlaamse campingkitsch en de hoogste kwaliteit in wijn, was te mooi om onvermeld te laten. 'Je verwacht hier elk ogenblik de Vogeltjesdans,' schreef ik, en zo was het ook.

Het menu was weliswaar eenvoudiger en beperkter dan de wijnkaart, maar de kwaliteit was behoorlijk en de prijzen waren heel redelijk. Vandaar dat ik De Wikke drie bordjes toekende. Ik hoorde achteraf dat Pieter Vitse, die eigenlijk nooit reclame had gemaakt voor zijn restaurant, door het artikel heel wat wijnliefhebbers en foodies over de vloer had gekregen. Ze wilden dit bizarre restaurant, waarvan ze nog nooit hadden gehoord, weleens leren kennen.

Ik ben later nog teruggeweest. Als ik aan de kust was om voor *De Standaard* een restaurant te bespreken, ging ik graag eerst bij Pieter langs voor een aperitief. Bij mooi weer kon ik dan buiten zitten en dronk ik een schitterende champagne uit even schitterende champagneglazen, tussen met tatoeages en piercings getooide campinggasten. Pieter kwam er dan graag bij zitten om mee te proeven, maar moest zich meermaals verontschuldigen omdat hij een sangria of een 'mazout' (een mengeling van pils en cola) naar een tafel moest brengen. Het was altijd weer een prettig verwarrende ervaring.

Pieter is nu gestopt met het restaurant. Zijn passie voor wijn is echter niet over, integendeel. In de 'kantine' van zijn camping wordt nog altijd wijn geschonken. En hij heeft een halve hectare wijngaard in Champagne gekocht. Vermoedelijk niet om er campingcars op te zetten.

Ik wilde van in het begin de restaurantrubriek niet beperken tot de traditionele restaurants. Ik vond dat ook andere, modernere, snellere eetconcepten aan bod moesten komen, zoals goede fastfoodtenten en snackbars. Mensen zoeken in hun eetgewoonten immers alsmaar meer gemak en snelheid, de trend gaat duidelijk in de richting van wat men in het Engels zo treffend '*convenience food*' noemt. Het succes in supermarkten van voorgesneden, voorgewassen en voorgekookte groenten en van kant-en-klaarmaaltijden spreekt voor zich.

Maar wie 'snackbar' zegt, denkt al gauw aan wakke broodjes, calorieën, onfrisse groenten en sauzen... Het kan mij evenmin bekoren. De laatste jaren is het inzicht echter gegroeid dat er weleens een markt zou kunnen zijn voor snackbars die lekkere, verse en gevarieerde voeding aanbieden. Als culinair recensent kun je daar niet aan voorbijgaan.

Het blijkt echter niet zo makkelijk om aan tips in verband met dit horecasegment te komen. Meestal zijn er immers geen koks of sommeliers aan het werk, foodies en recensenten hebben er zelden interesse voor, en wijnhandelaars kunnen er niet veel omzet draaien. Je hebt als recensent dus veel minder of helemaal geen bronnen. Zomaar lukraak een van die tenten binnenstappen, is geen optie: er zijn er gewoon veel te veel, en helaas laat de hygiëne in een aantal ervan te wensen over, zodat je riskeert om besmet te worden met een voedselbacterie. Je bent bijgevolg aangewezen op het toeval: je wandelt eens voorbij een snackbar die er anders uitziet dan de andere, je raakt er eens verzeild omdat je geen tijd of zin had om ergens je benen onder een tafel te schuiven, je wordt meegenomen door iemand die het als een vaste lunchplek beschouwt. Op die manier ontdekte ik onder meer de snackbar Zoff in Leuven en de fastfood-pizzatent Mamma Roma in Brussel.

Zoff, gelegen in het centrum van Leuven (schuin tegenover Elsen, een van de beste kaasaffineurs van dit land), noemt zich een '*catchy Italian bar*'. De inrichting is van het hippere genre en de eigenaar is effectief een Italiaan: Massimiliano 'Max' Ciofi, zoon van een gastarbeider die in de Limburgse mijnen kwam werken. Op de menu- en wijnkaart is het al Italië wat de klok slaat (op enkele dranken na, waaronder onvermijdelijk – dit is een studentenstad – Belgische bieren). Menu's met voor-, hoofd- en nagerecht zijn hier niet. Maar de snacks, sandwiches en salades die je kunt krijgen, zijn van de betere soort.

Bij Mamma Roma in Brussel kun je pizza's afhalen maar ook ter plaatse opeten op een kruk aan een hoge tafel. Pizza is normaal gezien niet mijn favoriete voedsel. Het recept, afkomstig uit de arme buurten van Napels, stelde *la mamma* in staat om restjes van eerdere maaltijden te verwerken. Dat beschouwen koks weleens als een vrijbrief om werkelijk álles op een pizzabodem te leggen: vers en minder vers, zout, zoet en zuur door elkaar, zonder bekommernis om smaakharmonie. Het deeg, van het hoogste belang voor een pizza, kom je in allerlei variaties tegen: van hard als karton tot slap als een vaatdoek, van miezerig dun tot papperig dik.

Bij Mamma Roma wordt de pizza echter gemaakt zoals het hoort: op het moment zelf, met verse en goede ingrediënten, en een bodem van gekneed deeg dat een tijd gerust heeft alvorens naar de oven te verhuizen. Nochtans werd dit bescheiden zaakje opgestart door een Belg: Anthony Coopmans, een jonge dertiger. Maar hij bracht wel zeven jaar in Italië door, trouwde er met een Italiaanse en leerde er de perfecte pizza bakken.

Veel comfort heb je niet in de kleine ruimte, je kunt niet reserveren en dus moet je tijdens de piekuren een beetje drummen aan de toog en wachten op een plaats. De clientèle is prettig gemengd: een oma met haar kleinkinderen, een hippe student met iPod in de oren, enkele zakenlui in maatpak, een verdwaalde *baba cool*... Papieren servetjes staan in metalen houders, je drinkt uit plastic bekers (al krijg je desgevraagd wel een glas), en er staan vuilnisbakken voor als je zelf wilt afruimen. Een klant moet zijn stoel even verplaatsen omdat die op het kelderluik staat: een van de pizzabakkers gaat naar beneden en komt terug met verse groenten. Zo gaat dat hier.

Van bediening is geen sprake, je gaat naar de toonbank, waar een kleurrijke variatie van grote rechthoekige pizza's klaarstaat om je smaakpapillen aan het werk te zetten: de klassieke margherita, eekhoorntjesbrood met gorgonzola, tomaat met mozzarella, paddenstoelen en pikante worst, artisjok en tonijn, pompoen en buikspek, en de zeer begeerde 'patate al tartufo' (aardappelen met geraspte truffel). De gewenste grootte wordt afgeknipt en gewogen, je betaalt precies de hoeveelheid die je aankunt.

Vooraf, nadien of gelijktijdig – je beslist zelf maar – kun je passeren aan het buffet van antipasti, die al even smakelijk uitgestald liggen: radicchio, venkel met selder, rucola, artisjok, gemarineerde zalm, gebakken paprika en courgette... Het ter plaatse gebakken brood is zalig: je zou er van blijven eten. Mamma Roma biedt geen grote gastronomie, en het gaat er Italiaans-nonchalant aan toe. Maar wat je eet is vers, boordevol smaak en licht verteerbaar. Meer moet dat soms niet zijn. Mamma Roma loopt overigens als een trein, er zijn nu drie vestigingen en de zaak heeft onmiskenbaar potentieel om een keten te worden.

Zowel bij Zoff als bij Mamma Roma vond ik de verhouding tussen prijs en kwaliteit goed, en dus kregen ze drie bordjes. Dat was wel een beetje vloeken in de kerk. Sommigen wezen er mij nadien fijntjes op dat sterrenzaken als Hof van Cleve, L'Air Du Temps, 't Zilte, l'Eau Vive en In De Wulf dezelfde score hadden gekregen. *Et alors?*

Ik stelde mij weleens de levensvraag of een culinair recensent nog kan rekenen op tips na een negatieve recensie. Een eerste signaal kreeg ik van een wijnhandelaar met wie ik af en toe ging eten, en die dat plots niet meer wilde. Zijn uitleg was: als ik met jou ga eten en je schrijft nadien een vlammende kritiek, dan mag ik hier misschien geen wijn meer leveren. Vanuit dat standpunt had ik het nog niet bekeken.

Door extrapolatie kun je nog andere scenario's bedenken. Zal die pr-dame mij nog op de hoogte brengen van de opening van nieuwe restaurants als ze niet zeker is dat de recensie positief of minstens neutraal zal zijn? Wil een restauranthouder die enige kritiek moest slikken mij nog melden dat zijn souschef verhuisd is? Ik troost mij met de gedachte dat ik ooit toch op de hoogte zal zijn. Misschien niet als eerste, maar gelukkig is dat niet de belangrijkste factor om een restaurantrubriek interessant te maken.

Ik bezoek niet elk nieuw restaurant. Met één recensie per week (een veertigtal per jaar) is dat sowieso niet mogelijk: er gaan meer restaurants open (en weer dicht) dan er recensies in *De Standaard Magazine* verschijnen. Dat is geen probleem: over de meeste nieuwe restaurants valt namelijk niets te vertellen, behalve dat ze meer dan waarschijnlijk op zondag en maandag gesloten zijn, en dat de wijn- en menukaart veel gelijkenissen vertonen met die van andere restaurants. Ik denk dat veel koks zich deze eenvoudige vraag veel te weinig stellen: waarom zou iemand naar mijn restaurant komen? Nogal wat nieuwe initiatieven kun je meteen onderbrengen in de categorie 'dertien in een dozijn', terwijl ik mijn gewaardeerde lezers het liefst met iets origineels verblijd.

Er is nog een andere reden waarom ik niet naar elk nieuw restaurant trek: ik haat het om mijn tijd te verdoen aan een culinaire ontgoocheling. Dus wil ik op voorhand zo veel mogelijk zekerheid hebben dat het goed zal zijn. Wie denkt dat ik voor mijn plezier negatieve recensies schrijf, slaat de plank volledig mis. Het liefst van al geef ik vier bordjes: dan heb ik zelf een schitterende maaltijd beleefd.

Ik probeer mij dus vooraf zo uitgebreid mogelijk te informeren: ik bestudeer de website, bel tipgevers, zoek eventuele al verschenen recensies, en rijd soms zelfs naar het restaurant in kwestie om er langs de buitenkant een eerste gevoel over te krijgen. Ja, ik doe er vaak lang over voor ik uiteindelijk beslis om er te reserveren. Want een afknapper wil ik het liefst vermijden. Dat ik ondanks die grondige research en mijn door ervaring opgebouwde intuïtie toch nog op ontgoochelingen stuit, toont aan dat je in ons horecalandschap voorzichtig moet zijn. Je bent snel veel geld kwijt voor iets wat het niet waard is. Als het mij al overkomt, dan zeker iemand die zomaar ergens onvoorbereid binnenstapt.

Denk vooral niet dat in elk restaurant het eten wordt klaargemaakt door een gedreven chef die even gepassioneerd is door lekker eten als jijzelf. Heel wat restaurants zijn gewoon aan- en verkopers van elders klaargemaakte gerechten. Een bezoek aan het ISPC is wat dat betreft verhelderend (maar als particulier mag je er niet binnen). Het ISPC is eigenlijk een grote supermarkt voor wie professioneel in de horeca actief is. Alles wat je ooit al eens in een taverne of restaurant hebt gegeten, ligt daar voorbereid en voorverpakt klaar. Restaurantuitbaters komen er winkelen zoals wij dat in een supermarkt doen. Ze kopen hun voorgerechten, hoofdgerechten en desserts aan, en verkopen die de volgende dagen duurder door in hun restaurants. Ze moeten ze gewoon opwarmen of afbakken of – bij koude gerechten – netjes rangschikken op een bord. Een vis of een stuk vlees moet al eens op het moment zelf in de pan worden gebakken, dat kan niet anders. Maar voor de rest wordt er veel meer dan u denkt kant-en-klaar aangekocht. Niet alleen in het ISPC overigens, er bestaan ook 'culinaire fabriekjes' waar restauranthouders gerechten (of delen van gerechten) laten bereiden en vervolgens laten leveren. Dat is niet noodzakelijk slecht: beter dát dan een kok die er niets van kent en er in zijn eigen keuken niets van bakt. Maar een persoonlijke, creatieve keuken levert het niet op. Terwijl men de klant dat wel probeert te laten geloven.

De logische vraag die uit al het voorgaande volgt, is deze: kun je op voorhand met zekerheid weten of een restaurant goed, middelmatig of slecht zal zijn? Ik heb me al vaak over deze cruciale kwestie gebogen. En op basis van ervaringen uit het verleden heb ik een aantal vuistregels opgesteld, die ik graag met u deel. Maar net zoals beurstips zijn ze geen garantie voor succes in de toekomst.

1. De lengte van de menukaart. Daaruit kun je al heel wat afleiden. Het is beter dat een menukaart kort is. Hoe meer gerechten erop staan, des te kleiner de kans dat de ingrediënten vers zijn en dat de bereiding op het moment zelf gebeurt. Als hetzelfde ingrediënt meermaals terugkomt, maar telkens met een andere saus en/of bereiding, dan moet u zich zeker zorgen maken.

2. De samenstelling van de menukaart. Ik heb altijd meer vertrouwen als er op de menukaart ingrediënten staan die afwijken van de klassieke vis- en vleessoorten en alom gekende groenten, als er specifiek aandacht wordt besteed aan groenten en kruiden, en als er informatie wordt gegeven over de herkomst van de ingrediënten.

3. De manier waarop de gerechten worden beschreven. Hier zijn duidelijk trends in, zodat u alvast een idee kunt krijgen van de aard van de keuken. Uitdrukkingen als 'zalf', 'sneeuw', 'gel', 'parels' en 'structuren' duiden op de moleculaire keuken. Een recente trend is om de ingrediënten gewoon op te sommen, en ze van elkaar te scheiden door een schuine streep. Dat zou normaal moeten duiden op een eigentijdse kok, die enige creativiteit aan de dag legt. Helemaal *on trend* is een uitgepuurde beschrijving van de gerechten, zoals in het restaurant van Pieter Clement in Oostvleteren. Daar kreeg ik een menukaart die als volgt was geformuleerd: 'Sint-Jakobsnoot, avocado. Zeeduivel, pastinaak. Fazant, pompoen. Dessert.' De maaltijd was fantastisch. Hoed u voor menukaarten die u met culinaire poëzie en bloemrijke termen de culinaire hemel beloven: vaak is dat er alleen maar op gericht om de middelmatige kwaliteit te verbloemen.

4. De wijnkaart (en de wijnglazen). Dit heeft niets te maken met het feit dat ik een fervent wijnliefhebber ben, maar alles met ervaring. Waar aandacht is voor wijn, is aandacht voor het eten. Die aandacht voor wijn uit zich in een deskundige keuze van wijndomeinen, en in goede wijnglazen op de tafels.

5. Het cv van de kok. Het is niet alleenzaligmakend, maar als een kok een opleiding heeft gehad in goede eethuizen, mag je redelijkerwijs hopen dat hij (of zij) daar een en ander heeft opgestoken.

6. De geur bij het binnenkomen. Ik ben al weggelopen uit restaurants louter vanwege een onfrisse geur bij het binnenkomen. Ik zou het u ook aanraden, het wijst nooit op iets goeds. En het is dan nog net niet te laat. Vanaf het moment dat u zit, en hoe langer u daar zit, zal het alsmaar moeilijker worden om nog op te staan en weg te gaan.

Zoals gezegd bieden bovenstaande tips geen echte garantie. Maar ze kunnen u wellicht wel de grootste ontgoochelingen besparen. Honderd procent zeker ben je nooit. Zelfs na een goede ervaring in een restaurant kunnen er achteraf nog allerlei dingen gebeuren die de kwaliteit achteruit laten gaan. Paradoxaal gebeurt dat soms na een positieve recensie: het restaurant krijgt dan zo'n grote toeloop dat de kok niet kan volgen, wat de kwaliteit in het bord negatief beïnvloedt.

Wat eveneens na verloop van tijd kan achteruitgaan, is de motivatie van de kok (en zijn equipe). Koks zeggen weleens dat de start van een restaurant moeilijk is omdat nog niet alles op punt staat. Mijn ervaring is dat de echte test pas na enkele jaren komt: slaagt de kok erin om zijn niveau te behouden? Dat is lang niet altijd het geval.

Ik heb ook al meegemaakt dat ik een restaurant een positieve score gaf, en dat enkele weken of maanden later de kok werd vervangen. Zo ging Peter Goossens na enige tijd weg uit de MuseumBrasserie in Brussel. In zo'n geval zit je ineens met een heel andere situatie.

Hoelang zal een restaurant open blijven? Ook dat heb je als culinair recensent niet in de hand. Af en toe ben je geneigd om over een nieuw restaurant te schrijven omdat de actualiteit je daartoe noopt, maar soms blijken het eendagsvliegen te zijn. Wat dat betreft, kan ik van culinaire gidsen als Michelin en GaultMillau begrijpen dat ze van een restaurant eerst willen weten of er continuïteit is voor ze het bekronen. Vooral omdat zo'n gids maar één keer per jaar verschijnt.

8. Bordje ergernis

Ik ga naar een restaurant om goed te eten en ontspannen te genieten. Helaas komt ergernis dat nobele voornemen weleens verstoren. Ik erger mij nooit aan enkele details die niet in orde zijn. Ik ben niet het type restaurantbezoeker dat al humeurig wordt als zijn stoel niet onder zijn achterste wordt geschoven, als de sommelier één drupje wijn op de tafel morst, of als er geen keuze is tussen vijf verschillende soorten brood en drie olijfoliën. Dat soort ergernissen is voor amateurs die zelden naar een restaurant van enig niveau gaan, maar die, als ze dan gaan, als een koning behandeld willen worden.

Mijn ergernissen gaan over iets geheel anders, over de fundamenten van het metier, over een manifest gebrek aan de basisvoorwaarden waaraan een restaurant dient te voldoen. Mij ergeren luiheid, slordigheid, domheid, onvriendelijkheid, onwil en – wat helaas vaker voorkomt dan u zou willen – de intentie om de klant te bedriegen.

Er wordt weleens gezegd dat ik scherp kan zijn voor restaurants. Dat ben ik echter nooit voor een kok die minder talent heeft, maar hard zijn best doet. Mijn scherpste recensies gaan altijd over restauranthouders en koks die het wel kunnen maar niet willen. Door luiheid of hebzucht verkopen zij de klant een culinaire ervaring die ver onder het prijsniveau ligt. Daar erger ik mij het meest aan.

Nogmaals: denk niet dat het toeval is (of een 'momentopname') als u in een restaurant minderwaardige kwaliteit krijgt voorgeschoteld. De kok weet het. Hij weet het en toch doet hij het. En als hij het echt niet zou weten, dan weet hij dus niet wat er in zijn keuken binnenkomt en wat er naar buiten gaat. Je kunt je afvragen wat het ergste is.

Het begint al bij de huischampagne. Meestal is die de voorbode van wat je verder te wachten staat. Wordt er aandacht geschonken aan de keuze en de kwaliteit van de huischampagne, dan wordt er wellicht ook aandacht geschonken aan de keuze en de kwaliteit van de ingrediënten die je later te eten krijgt. Is de huischampagne ondermaats, dan kan dat twee oorzaken hebben: de kok of de sommelier kan niet proeven en/of kent er niets van (wat niet veel goeds voorspelt voor de keuken), of – en dat is meestal het geval – er wordt bewust gekozen voor een champagne die zo goedkoop mogelijk ingekocht kan worden zodat de winstmarge maximaal is.

Laten we vooral niet vergeten hoe duur zo'n glas huischampagne wel is: de prijs schommelt tussen € 8 en € 12, in de zogenaamd 'betere' restaurants kan die prijs zelfs hoger zijn. Wetende dat je in Champagne makkelijk een goede fles kunt kopen voor om en nabij de € 15 (zelfs als particulier), dan weet je meteen hoeveel winst er gemaakt kan worden op een fles waaruit je zes à zeven glazen tegen pakweg € 10 kunt schenken (afhankelijk van de hoeveelheid die je ingeschonken krijgt, want je hebt zowel krenterige als gulle restauranthouders).

Over de prijs zelf wil ik niet eens discussiëren, restauranthouders behoren niet tot de rijkere klasse van onze samenleving, en ik gun hen een comfortabele winstmarge. Maar die champagne moet dan wel in orde zijn. Dat de kwaliteit niet helemaal beantwoordt aan mijn eisen, is tot daaraan toe. Vrienden van mij beweren dat ik niet snel tevreden ben, ik zal mij bij die bewering maar neerleggen. Maar je krijgt in restaurants ook geoxideerde champagne, lauwe champagne en volkomen platte champagne (ik laat nu even de ergernis over champagne in veel te kleine fluitglaasjes achterwege).

Omdat ik zo ben opgevoed, blijf ik altijd beleefd, maar die champagne stuur ik wel terug. Nooit werd daartegen geprotesteerd door de sommelier of de kok. Natuurlijk niet. Ze wisten ook wel dat het onaanvaardbaar was. Maar je kunt maar proberen, toch? Misschien kom je er wel mee weg. Toch jammer dat die recensenten zich niet op voorhand kenbaar maken.

Bij de champagne krijg je in een restaurant meestal de obligate 'hapjes vooraf'. In het beste geval zijn dat miniatuurdemonstraties van het talent van de kok, een voorsmaakje van het grote genoegen dat je nog te wachten staat. In het slechtste geval zijn ze een verzameling hergebruikte restjes van de vorige dagen, die de restauranthouder niets extra kosten omdat hij ze anders had moeten weggooien. Veelal zit het daar ergens tussenin. Mijn raad is om altijd even te ruiken aan die hapjes, in de eerste plaats om ze te testen op versheid, wat ik zelf bij alle gerechten en dranken doe. Meer ervaren foodies kunnen aan de geur ook al waarnemen of ze opgewarmd of kort daarvoor bereid werden. In elk geval ben ik zelden onder de indruk van die hapjes, er is ook meestal geen enkel culinair verband tussen. Voor mij mogen de meeste bijgevolg worden afgeschaft (in ruil voor een korting op de prijs van het glas champagne).

Vooraleer we overgaan tot de eigenlijke maaltijd, kijken we natuurlijk de wijnkaart in. Ook dat is meestal een accurate voorafspiegeling van de kennis en passie waarmee in het restaurant het metier wordt bedreven – of het gebrek daaraan. Een allegaartje van banale wijnen en domeinen voorspelt weinig goeds over de niet-vloeibare ingrediënten van het huis. Meestal gaat dat trouwens gepaard met slechte wijnglazen op de tafels (te klein, verkeerde vorm, te dik glas, te korte steel, de geur van afwasmiddel...).

Een goede wijnkaart heeft voor mij niets te maken met de hoeveelheid wijnen, een wijnkaart hoeft geen encyclopedie te zijn. Wel moet het om een deskundige en evenwichtige selectie gaan van goede domeinen, in verschillende smaakregisters (van fris en fruitig over vol en fluwelig naar rijk en krachtig) en in verschillende prijsklassen. Het meest ergerlijke zijn de dikke wijnbijbels die niet eens aan die basisvoorwaarden voldoen: ze zijn vooral bedoeld om het prestige van het restaurant in de verf te zetten, niet om de klant van een goede wijn te laten genieten.

Restaurants met dergelijke boeken zijn vaak van de duurdere soort, en net daar is het vaak heel moeilijk om bij dat dure eten een echt goede wijn voor een verantwoorde prijs te vinden. Alle regels van de wijnetiquette worden scrupuleus in acht genomen, maar tegelijk word je met de glimlach beroofd. Mocht je voor die hoge prijzen dan nog een mooi gerijpte wijn krijgen, dan zou je het nog enigszins kunnen begrijpen: tenslotte heeft de restauranthouder dan veel jaren lang een bepaald kapitaal geïmmobiliseerd. Maar meestal zijn de wijnen niet eens op dronk. Mijn advies is dan ook: bestel ze niet, het is weggegooid geld.

Na zoveel decennia tafelervaring is mijn conclusie hard maar helaas waar: als wijnliefhebber kun je maar zelden echt van wijn genieten in een restaurant. Want ofwel word je gepluimd, ofwel moet je je tevredenstellen met een ondermaatse wijn. En soms is het nog erger: je wordt gepluimd én je krijgt een ondermaatse wijn. Eerlijkheidshalve moet ik daaraan toevoegen dat dat vooral geldt voor de Vlaamse restaurants. In Wallonië is dat veel minder het geval. Niet verwonderlijk dat ik daar zo graag ga eten. Je betaalt er trouwens ook voor het eten beduidend minder voor een vergelijkbare kwaliteit.

Dan hebben we het nog niet gehad over de bewaring van wijn in restaurants, nochtans ook een heikel punt. Als wijnen worden teruggestuurd, is dat meestal omdat ze kurk hebben. Daar kan de restauranthouder niets aan doen. Maar door slechte bewaring (te droog en/of te warm), kunnen wijnen andere fouten vertonen, zoals oxidatie of een minder expliciete vorm van verlies aan zuiverheid en expressie.

Dergelijke wijnen durven klanten zelden terug te sturen, omdat ze zich onvoldoende zeker en beslagen in de materie voelen. Maar als het verschil tussen de prijs en de reële kwaliteit al zo groot is bij foutloze wijnen, dan wordt dat verschil bij een fout natuurlijk nog groter. Meestal worden die wijnen trouwens te warm geschonken, omdat er nu eenmaal geen koele kelder voorhanden is. De witte wijnen hebben dan weer te lang in een te koude koelkast gelegen, waardoor de aromatische expressie ook wordt vernietigd.

In restaurant Chez Oki in Brussel stuurde ik eens drie opeenvolgende wijnen terug: ze waren alle drie geoxideerd. Ongetwijfeld was dat te wijten aan de manier waarop de wijnen werden bewaard: in een grote moderne muurkast met neonlicht in de schappen. Daarin is het uiteraard zowel te warm als te droog, bovendien is het bekend dat neonlicht nefast is voor wijn (de hoofdreden waarom wijn uit supermarkten zo zelden in topvorm is). Ik heb er de mensen van Chez Oki vriendelijk op gewezen, maar ze hebben het nog altijd niet veranderd. Waarom zouden ze? De klanten zijn blijkbaar bereid om geoxideerde wijn te drinken. Ik sta er soms van versteld welke bocht mensen kritiekloos in hun lichaam gieten.

Kennelijk zijn mensen ook bereid om onfrisse ingrediënten te eten, want nog altijd kom je die in restaurants tegen. Ik vind dat de meest onvergeeflijke fout die in een restaurant gemaakt kan worden, het zondigt tegen dé fundamentele basisregel van koken. Het kan trouwens gevaarlijk zijn, klanten kunnen er ziek van worden. Nochtans is het vrij makkelijk op te sporen: een gebrek aan versheid kun je normaal al ruiken. Maar het is altijd mogelijk om de geur van niet-verse ingrediënten te verhullen door ze bijvoorbeeld te vermengen met andere sterk aromatische ingrediënten.

Ik ben al uit restaurants weggelopen nadat ik er pas was binnengekomen, alleen vanwege de geur die uit de keuken kwam. Het is mij ook al overkomen dat ik er toch bleef, omdat ik bijvoorbeeld met vrienden had afgesproken. Maar telkens bleek mijn neus het juiste signaal te hebben gegeven: als de geur in een restaurant verdacht is, dan is de kwaliteit van het eten dat ook. Al kunnen er, zoals eerder gezegd, bacteriën in het eten zitten die je niet kunt ruiken en zelfs niet proeven.

Wat zou ik graag van elk restaurant eerst de keuken zien. Dan zou ik pas echt weten of ik hier met een gerust gevoel mijn zuurverdiende geld mag besteden. In een slordige keuken, en in het bijzonder een keuken waar de elementaire regels van de hygiëne niet gerespecteerd worden, kan niet behoorlijk worden gekookt. Vandaar dat ik een restaurant met een open of halfopen keuken op prijs stel, het geeft vertrouwen. Al is het me ook al overkomen dat ik daardoor zag dat een kok eerst met zijn vingers in de neus peuterde, en dan de ingrediënten op de borden schikte. Een open keuken kan bovendien niet verhinderen dat een van de koks naar het toilet gaat en vervolgens zijn handen niet wast.

Hotelscholen hameren terecht op het belang van een onberispelijke hygiëne als je bezig bent met producten die mensen in hun lichaam opnemen. Maar ook ik ben al ziek geweest na een restaurantbezoek. En als je dat overkomt, dan is één ding zeker: je durft nooit meer naar dat restaurant terug te gaan. Alleen al om economische redenen is hygiëne voor een restaurant-houder dus uiterst belangrijk.

Jeroen Meus vindt dat heel wat koks te veel met hun handen aan het eten zitten. Daarom gebruikt hij handige hulpmiddelen om bereide producten zo weinig mogelijk aan te raken. Zo bieden lepels met lange steel en pincetten de mogelijkheid om ingrediënten precies te schikken op het bord zonder met de vingers aan het eten te komen. Als ik dat hoor, ga ik al met een veel geruster gemoed eten. Ik hoop dat Meus' woorden niet in dovemansoren vallen bij andere koks.

In het restaurant zelf ben ik geen voorstander van stijve etiquette aan tafel. De bediening mag wel met enige klasse en elegantie gebeuren, maar gewone vriendelijk-heid is vaak al meer dan voldoende. Sommige regeltjes, in het bijzonder op het vlak van wijn, zijn volgens mij echter totaal uit de tijd. Zoals de gewoonte om de fles wijn meters van je tafel te zetten. Dat heeft niets dan nadelen, zowel voor de sommelier als voor de klant. De sommelier creëert er voor zichzelf veel werk mee, en vaak kan hij dat gewoon niet aan. De klant kan dan weer geen wijn bijschenken wanneer hij dat wil, en moet soms als een gek gaan zwaaien om alstublieft nog wat wijn te krijgen. Wat is er eigenlijk verkeerd aan een wijnfles die op de tafel blijft staan? Ik heb nog geen sluitend antwoord gekregen op deze eenvoudige vraag. Ik denk dat het een van die tradities is die men in hotelscholen blijft aanleren zonder dat men er zich vragen bij stelt.

In het algemeen kan ik mij ergeren aan een restaurant dat al te opzichtig probeert om 'chic' te zijn. Gelukkig komt dat steeds minder vaak voor, zelfs de duurste restaurants hebben vandaag begrepen dat het publiek het informeler wil. Maar bepaalde restaurants voelen zich nog altijd geroepen om in het bord uitgebreid uit te pakken met dure en exclusieve ingrediënten. Hoe meer, hoe beter, lijkt het wel. Voor mij wijst dat eerder op een gebrek aan creativiteit, want je vindt al diezelfde ingrediënten in dezelfde restaurants terug. Een van mijn vrienden-foodies heeft dat type van keuken ooit een 'patserskeuken' genoemd. Dergelijke restaurants trekken trouwens vaak ook patsers als klanten aan. Dat maakt het op zich al minder leuk om er te eten.

In het maandblad *Culinaire Ambiance* zei Peter Goossens ooit: 'Ik ga op restaurant om te eten, omdat ik honger heb. Ik zit niet in de wachtzaal van een dokter.' Het ging over de ergernis die je kan overvallen als je te lang moet wachten tussen de gangen van een menu. Als dat ook nog eens gepaard gaat met een hele avond lang muzak, dan heb je het perfecte recept voor een verpeste avond. Jammer van die hoogst creatieve gerechten, ontsproten aan het weergaloze talent van de kok: niemand geniet ervan.

Ik leg nogal wat kilometers af om uit eten te gaan. Dat stoort me nooit. Behalve als de culinaire ervaring de trip niet waard is. Dan word ik danig uit mijn humeur gebracht. Dan heb je zo ver gereden, soms door weer en wind en in het donker, soms na uren fileleed, je bent dan hongerig, vol verwachting, snakkend naar dat glas frisparelende champagne, en dan krijg je niets dan banaliteiten voorgeschoteld.

Ik zal mijn dieptepunten niet opnieuw oprakelen, die zijn al in *De Standaard Magazine* verschenen en ik wil het mes niet nogmaals in de wonde steken. Misschien werd de kok daardoor wel wakker geschud en hebben de klanten die na mij zijn gekomen er hun voordeel mee gedaan. Al ken ik ook koks die zonder problemen blijven slapen tot de laatste klant heeft afgehaakt.

Ook klanten kunnen ergernis opwekken. Iemand die de wijn met luide stem terugstuurt. Kinderen die niet geleerd hebben om zich te gedragen aan tafel. Een gezelschap van zes van wie elke persoon een ander voor- en hoofdgerecht bestelt, waardoor alles in de keuken in het honderd loopt en alle andere klanten van die avond daaronder lijden. Een ietwat ervaren restaurantbezoeker denkt aan de gevolgen voor de keukenorganisatie als hij iets bestelt.

Bij mijn tafelgenoten pleit ik er altijd voor om ofwel een van de menu's te nemen, ofwel à la carte zo veel mogelijk dezelfde voor- en hoofdgerechten te bestellen. Niet zozeer omdat ik de kok wil plezieren, eerder om zelf vlot bediend te kunnen worden. Want al kun je argumenteren dat een kok alles moet kunnen klaarmaken wat hij op de kaart zet, de realiteit leert dat sommige bestellingen moeilijk uitvoerbaar zijn.

Er zijn ook mensen die heel lang moeten nadenken over hun keuze. Meestal zijn dat mensen die niet vaak uit eten gaan. Doorgewinterde restaurantbezoekers maakt het zelden uit wat ze precies eten. Een goede kok maakt van alles iets lekkers.

Ten slotte ben ik geërgerd over iets wat mijzelf persoonlijk niet raakt: dat mensen een tafel reserveren en vervolgens niet komen opdagen zonder te verwittigen. Dat getuigt niet alleen van een gebrek aan respect voor het werk van iemand anders, maar ook gewoon van onbeleefdheid, onbeschoftheid, lompheid... Koks en restauranthouders zijn daar terecht heel ontstemd over. In de Verenigde Staten kun je in heel wat restaurants geen tafel meer reserveren zonder je kredietkaartnummer door te geven. Als sommigen niet eens de kleine moeite doen om even te laten weten dat ze hun reservering niet kunnen honoreren (en soms zijn daar geldige redenen voor), dan riskeert het ook bij ons die weg op te gaan. Al zullen de restauranthouders wel twee keer nadenken alvorens ze die verplichting hier opleggen, het risico bestaat dat ze dan helemaal geen reserveringen meer krijgen. Maar wie weet? Er is al zoveel veranderd in de culinaire wereld in korte tijd.

9. Bordjes op reis

Toen ik aan het nadenken was over de nieuwe restaurantrubriek, zag ik mij in mijn wildste dromen vliegtuigen nemen naar de vele wereldsteden waar de culinaire vernieuwing volop bezig was, zodat ik mijn Vlaamse lezers daarover uitgebreid kon informeren en een beetje internationale culinaire ontwikkeling kon bijbrengen. Peter Vandermeersch bracht mij met beide benen weer op de grond en drong erop aan om het niet te ver van huis te zoeken. Ongetwijfeld vreesde hij voor de budgettaire consequenties van mijn ambitieuze plannen, maar hij had nog een ander argument dat ik wel kon bijtreden: 'Je mag nog zo lovend zijn over een restaurant in Londen, New York of Rome: de meeste lezers gaan daar niet meteen naartoe. En zeker niet speciaal om dat restaurant te bezoeken. Laten we daarom in eigen land blijven. Zo kan de recensie van een restaurant een onmiddellijk praktisch nut hebben voor de lezer.'

Daar kon ik geen speld tussen krijgen. Achteraf bekeken is het een goede beslissing geweest. De rubriek werd er herkenbaarder, strakker en dus sterker door. Mijn honger naar culinaire reizen werd evenwel niet gestild: ik bleef gewoon vliegtuigen boeken (helaas niet betaald door mijn opdrachtgever). Voor een culi-nair recensent is dat belangrijk en zelfs noodzakelijk: je referentiekader verbreedt. Ik moet toegeven dat ik van deze professionele reden handig gebruikmaak om te verbergen dat ik meestal gewoon niet kan weerstaan aan de lokroep van een weergaloze organoleptische ervaring, waar ook ter wereld. Zo is het altijd geweest, lang vóór ik met de restaurantrubriek begon. Ik vrees dat het zo zal blijven.

In een vorig hoofdstuk heb ik het al gehad over mijn zwerftochten door Spanje, om te volgen wat daar allemaal voor nieuws op culinair vlak gebeurde. Door die inspirerende vernieuwing in een land dat culinair gezien nooit een hoogvlieger was geweest, begon er ook van alles te bewegen in andere landen met een wei-nig benijdenswaardige culinaire reputatie. Zoals in het land waarover de Franse president Jacques Chirac ooit zei: 'Hun enige bijdrage tot de gastronomie is de dolle koe.' Hij had het over Groot-Brittannië.

In die mening verschilde hij niet van alle andere Fransen en zelfs niet van alle andere Europeanen van het vasteland. In Groot-Brittannië kon je hoogstens enig plezier beleven aan het *English breakfast*, zo luidde het gangbare oordeel. Voor de rest was het huilen met de pet op. Nog voor de culinaire vernieuwing zich in Spanje op gang trok, had ik mijn eigen mening daar-over al enigszins moeten nuanceren.

Zo had ik al kunnen vaststellen dat je in Londen – net zoals in de meeste andere wereldsteden van dit kaliber – wel degelijk fantastisch kunt eten, al was dat aanvankelijk vooral in Indiase en Zuidoost-Aziatische restaurants zo. Toegegeven: als je naar het Britse platteland trok, en verder nog naar bijvoorbeeld Wales en Schotland, kwam je nog altijd terecht in eethuizen waar men erin slaagde om zelfs de meest schitterende ingrediënten (want die zijn er in Groot-Brittannië) volledig te verknoeien, onder meer door een totale onwetendheid omtrent een eenvoudige notie als cuisson.

De jonge tv-kok Jamie Oliver slaagde er al in om dat gebrek aan kennis en passie te doorbreken. Maar de grote ommekeer kwam er door een zekere Heston Blumenthal, wiens restaurant The Fat Duck plots tot op één na beste restaurant van de wereld werd uitgeroepen, na elBulli. Blumenthals baanbrekende creatieve werk in de keuken deed voor heel wat andere Britse koks een nieuwe wereld opengaan.

Uiteraard wilde ik meteen naar The Fat Duck. Je moet er wel iets voor over hebben: je neemt de trein of het vliegtuig naar Londen, van daar is het nog een uurtje sporen naar Maidenhead. Vanuit dat station neem je dan een taxi die je naar het dorpje Bray brengt (ook wel Bray-on-Thames genoemd). Als je voor het diner hebt gereserveerd, is het beter om ter plaatse te blijven slapen. Ik logeerde in het nabijgelegen Red Roofs Guest House, aangeraden door The Fat Duck. Het bleek een oud Victoriaans huis te zijn, helemaal volgens de Engelse traditie ingericht in Laura-Ashleystijl. De plankenvloer kraakte op elke vierkante centimeter. Het *guest house* werd gerund door een charmant koppel, van wie de vrouw vroeger in de mode-industrie had gewerkt en de man tot mijn verbazing de manager was geweest van rockgroepen als Iron Maiden en The

Stranglers. Zeker hij paste dus geheel niet in het plaatje van dit ouderwets ingerichte huis. Hetzelfde kon overigens gezegd worden van The Fat Duck. Het historische rijtjeshuis waarin dit restaurant werd ondergebracht, associeer je niet met een technologisch vooruitstrevende keuken.

Achteraf werd mij natuurlijk vaak gevraagd of The Fat Duck de trip waard was geweest. Het hangt ervan af hoe gepassioneerd je bent door eten. Als foodie móet je er gewoon naartoe. Heston Blumenthal is een van de grote culinaire vernieuwers van deze planeet, en tevens een intelligente kok met een visie, wat niet van al zijn collega's gezegd kan worden. Hij kan het bovendien ook nog eens goed verwoorden, getuige de 'chef's statement' op zijn website.

Als wijnliefhebber was ik wat teleurgesteld over de wijnen die de sommelier bij het menu voorstelde. Normaal neem ik nooit de aangepaste wijnen bij een menu, maar in The Fat Duck zijn de smaaksensaties per gang heel verschillend. Bovendien kun je uit de beschrijvingen van de gerechten niet afleiden wat je nu precies in het bord gaat krijgen. Daarom had ik voor de formule met aangepaste wijnen gekozen. Maar dat viel tegen, de combinaties werkten gewoon niet. Misschien moet een van onze jonge Vlaamse sommeliers er maar eens wat advies gaan geven.

Intussen ervaarde ik ook in andere Angelsaksische landen een culinaire heropleving, onder meer door het combineren van ingrediënten uit verschillende werelddelen, wat men een tijdlang 'fusion cuisine' heeft genoemd. In Nieuw-Zeeland en Australië heb ik daar heel goede voorbeelden van geproefd. Wat mij vooral opviel, was de veralgemeende aandacht voor de versheid van ingrediënten, de verzorgde presentaties, vlotte bediening en genereuze gastvrijheid. Een complete verademing vergeleken met Frankrijk, waar men zelfs in het meest banale restaurant lijkt te denken dat er een genie achter het fornuis staat, en dat je als klant van geluk mag spreken dat je er mag komen eten. Het idee dat je overal in Frankrijk goed kunt eten, is volledig achterhaald. Integendeel: je moet in Frankrijk vandaag al heel goed zoeken om iets behoorlijks in je bord te krijgen. Dat gebeurt met een land dat al te lang op zijn culinaire lauweren heeft gerust. Terwijl je vandaag zelfs positief verrast kunt worden over de kwaliteit van de klassieke Engelse keuken, onder meer in de oudste brasserie van Londen, Rules.

Frankrijk en ook Italië zijn levende bewijzen van de zogenaamde 'wet van de remmende voorsprong'. Die wet stelt dat een voorsprong op een bepaald domein er vaak toe leidt dat er weinig stimulans is om verdere verbetering of vooruitgang op te zoeken. Je berust als het ware in je voorsprong, en dat remt je om verder door te gaan. Terwijl degenen die een achterstand hebben die stimulans om te vernieuwen wel nog kennen en daardoor de anderen vroeg of laat voorbijsteken. Dat is precies wat er is gebeurd op het culinaire vlak. Frankrijk en Italië, bakermatten van de gastronomie, werden voorbijgestoken door de Angelsaksische culinaire barbaren.

De Verenigde Staten zijn daar misschien nog wel het beste voorbeeld van. De culinaire vooruitgang die daar geboekt werd, is spectaculair. Het is waar: op het platteland heerst de fastfood nog alom en kun je maar met grote moeite een restaurant vinden die naam waardig. Maar in de grote steden maak je kennis met een culinair enthousiasme en professionalisme dat zijn gelijke niet kent in Europa.

Niet alleen ben je verbluft door de variatie en creativiteit, ook de organisatie en klantgerichtheid bevinden zich op een niveau dat hoog boven dat van Europa uittorent. Topzaken hebben vaak meer dan honderd plaatsen die ze vanaf 17 uur twee tot drie keer bezetten, terwijl de organisatie nooit hapert, de bediening vlot en altijd vriendelijk verloopt, en de kwaliteit in het bord verbluffend hoog blijft.

Toen ik de laatste keer uit de Verenigde Staten terugkwam, speelde één vraag voortdurend door mijn hoofd: waar komt het idee vandaan dat Amerika geen culinaire cultuur zou hebben? Alleen mensen die nooit in steden als New York, Chicago, Los Angeles en San Francisco zijn geweest, kunnen met dat idee rondlopen. Anders zouden ze weten dat je daar zonder meer fantástisch kunt eten.

Naar verluidt was Ferran Adrià zo enthousiast over het restaurant Alinea in Chicago, dat het prompt werd gebombardeerd tot het 'elBulli van de Verenigde Staten'. Toen ik plannen had om tijdens een rondreis door Amerika ook Chicago aan te doen, was een reservering bij Alinea het allereerste wat ik in orde bracht. Ik reisde samen met mijn gezin, dus toen ik op een avond bij Alinea aankwam, waren mijn vrouw en ik vergezeld van onze twee dochters, op dat moment twaalf jaar jong.

Dat zulke jonge kinderen meegaan naar een restaurant van dit niveau, is men niet gewend, zeker niet in Amerika. Al bij het binnenkomen, zag ik dat de kelners enigszins ongerust waren, een ongerustheid die wellicht omsloeg in lichte paniek toen we alle vier het menu bestelden. Het ging weliswaar om de kortere versie, maar die bestond toch nog uit een tiental gangen. De kelners konden natuurlijk niet weten dat onze dochters het gewoon waren om op reis in dergelijke restaurants te eten, zelfs al op nog jongere leeftijd. En zeker de speelse keuken van Alinea beviel hen zeer.

De avond verliep vlekkeloos, zonder de 'kindertoestanden' die de kelners wellicht hadden gevreesd. '*We were a little worried*,' zei een van hen achteraf, '*but they were wonderful.*' Toen ik de rekening vroeg, zag ik dat er slechts twee menu's waren aangerekend. Ik maakte een van de kelners attent op deze vergissing, maar hij zei dat de chef niet wilde dat de kinderen zouden betalen. Ik drong aan, maar de man hield voet bij stuk. 'Dan willen we de chef wel speciaal gaan bedanken,' zei ik. En zo gebeurde het dat ik een van de meest talentvolle koks van de Verenigde Staten ontmoette, Grant Achatz. En dat mijn dochters hem in hun beste Engels bedankten voor de schitterende maaltijd.

Grant Achatz, een jonge dertiger, toonde zich meteen als een man zonder kapsones: bescheiden, vriendelijk, enthousiast en open. Onwillekeurig dacht ik aan bepaalde Franse koks die zich met de Messias schijnen te vergelijken omdat ze toevallig een talent hebben om te koken. Na een diner in de toenmalige driesterrentempel L'Auberge de l'Eridan in Veyrier-du-Lac maakte ik mee dat de eigenaar en kok Marc Veyrat, getooid met een zwarte hoed, in de eetzaal kwam rondlopen met een tred alsof hij Jezus was die over het water liep. Ik moet toegeven dat ik er bijzonder goed had gegeten, maar dat spektakel was iets moeilijker te verteren. (Intussen heeft Marc Veyrat na een skiongeval dat restaurant moeten sluiten.)

Na mijn rondreis door Amerika vernam ik overigens dat er bij Grant Achatz tongkanker was vastgesteld. Gelukkig – in de eerste plaats voor hem maar ook voor de internationale gemeenschap der foodies – blijkt hij daarvan volledig hersteld te zijn.

Nog in Chicago belandde ik in een buurt van groothandels waar je geen restaurant verwacht in het Moto Restaurant van chef Homaro Cantu. Hier worden al je culinaire normen omvergeblazen met een experimentele avantgardekeuken, waarin ook humor een belangrijke rol speelt. Zo krijg je een menukaart waarover de kelner je laconiek meedeelt dat je die achteraf mag opeten. Er werd een hoogtechnologisch uitziend gerecht opgediend in een recipiënt dat op een opengeklapte laptop leek. Als dessert kregen we een hotdog met mosterd, die evenwel volledig uit zoete elementen bleek samengesteld. In Moto word je voortdurend verrast met zulke vondsten die je op het verkeerde been zetten. Academische foodies zullen er zich blauw aan ergeren, maar ik heb me kostelijk vermaakt.

Wie de eigentijdse Amerikaanse keuken wil leren kennen in een weergaloze uitvoering, mag Michael

Mina in San Francisco niet overslaan. Wat hier vooral opvalt, is het feit dat de culinaire perfectie gecombineerd wordt met een onovertroffen organisatie en timing in een pand dat nochtans stampvol zit en waar de tafels meerdere keren per dag bezet zijn. Bovendien bevindt zich in dezelfde ruimte een lange bar die de mogelijkheid biedt om gewoon iets te drinken en kleinere hapjes te eten, wat mensen dan ook in groten getale staan te doen terwijl anderen van een gastronomisch menu genieten dat gestadig maar nooit haastig wordt opgediend.

Michael Mina werd bekroond met twee Michelinsterren. Kunt u zich in een Europees tweesterrenrestaurant de combinatie van een levendige bar en een gastronomisch restaurant in één en dezelfde ruimte voorstellen? Michael Mina runt overigens achttien restaurants in de Verenigde Staten, ik bezocht ook zijn steakhouse Stripsteak in Las Vegas, waar niet naar grote gastronomie wordt gestreefd, maar waar opnieuw in zijn genre de perfectie wordt bereikt.

In Amerika hebben ze geen boodschap aan koks die volgens hun humeur van de dag werken, minimaal twee sluitingsdagen nodig hebben en maar één service 's middags en één service 's avonds aankunnen. De restaurants zijn er elke dag open, de tafels zijn zowel 's middags als 's avonds meerdere keren bezet, je kunt er eten aan een tafel of aan een toog, je kunt er ook gewoon iets drinken of een klein hapje eten. En het is altijd in orde. Heb je gereserveerd om 20 uur en je tafel komt pas om 20u10 vrij, dan krijg je je aperitief gratis aangeboden. Toen ik de eerste keren na mijn ervaringen in de Verenigde Staten opnieuw een restaurant bezocht in Europa, was het verschil immens: het leek wel geklungel en amateurisme vergeleken met wat de Amerikanen in de horeca van de grootsteden klaarspelen. Ik ben er intussen al weer aan gewend.

De Verenigde Staten zijn ook het mekka voor de fans van de Japanse keuken, volgens mij de beste keuken ter wereld. Geen enkele culinaire cultuur verenigt zoveel positieve eigenschappen als de Japanse: versheid, verfijning, lichtheid, gezondheid, originaliteit, creativiteit, visuele presentatie. Ik ben één keer in Japan geweest, en een nieuwe culinaire rondreis is ondertussen geboekt. Maar ook in New York kun je dus een Japanse culinaire piekervaring beleven, onder meer in Masa en Sushi Yasuda. In Londen behoren Sake No Hana en Umu tot de topcategorie.

Een grote verdienste van de moleculaire keuken is dat zij de Japanse keuken opnieuw in het centrum van de belangstelling heeft gebracht. Japanse ingrediënten zijn meer dan ooit in trek, zowel bij chefs als bij het publiek. Ze worden vaak geïntegreerd in andere keukens, waardoor nieuwe en verrassende combinaties tot stand komen. Zelfs Franse chefs wagen er zich nu aan, zodat er een 'cuisine franco-japonaise' tot stand komt. Wie had dat ooit gedacht? Bekende voorbeelden zijn Le Charlemagne in Bourgogne en Miyabi in Sens, bij Troyes. Zelfs in het klassiek-Bourgondische Beaune bevinden zich nu twee drukbezochte Japanse restaurants, Bissoh en Sushi Kaï.

Over het algemeen merkte je dat de Fransen er zich van bewust werden dat ze hun leidende plaats in de gastronomie aan het verliezen waren en dat er iets moest gebeuren. Franse koks werden door hun Spaanse collega's wakker geschud. Maar de moleculaire vernieuwing werd in Frankrijk meer geïntegreerd in hun eigen culinaire traditie, en dat leverde boeiende resultaten op. Onder anderen de jonge kok Jean-François Piège bracht een tijdlang een heel eigen en hoogstaande combinatie van vernieuwing en traditie in restaurant Les Ambassadeurs op de Place de la Concorde in Parijs. Het restaurant sloot intussen zijn deuren, maar Piège nam de brasserie Thoumieux in Parijs over, waar hij in de lijn van de tijdgeest zijn gastronomische toptalent nu combineert met een informele omkadering. Op de tweede verdieping opent hij evenwel opnieuw een *restaurant gastronomique*. Hij kan het niet laten, denk ik.

Andere koks in Parijs hebben eveneens het angstvallig vasthouden aan de letter van de Franse traditie ingeruild voor een avontuurlijker kookstijl, zoals Pierre Gagnaire en Pascal Barbot (van L'Astrance). Eerstgenoemde doet dat in een creatieve, haast kunstzinnige stijl waarin de virtuositeit van de kok voluit aan bod komt, de andere is meer ingehouden en zoekt het in uitgepuurd precisiewerk. Het vermelden waard is ook kok William Ledeuil, die in zijn hedendaagse brasserie Ze Kitchen Gallerie de Franse keuken vermengt met exotische (vooral Aziatische) invloeden. Al deze koks werken volgens de visie die ooit door Pierre Gagnaire verwoord werd als 'gericht op de toekomst maar met respect voor het verleden'.

Het bracht de Franse keuken in een golf van nieuwe energie en inspiratie. En dat werd hoog tijd. Na heel wat ontgoochelingen kon ik opnieuw met plezier en enthousiasme naar Frankrijk trekken om er te gaan eten. Een van mijn meest grandioze ervaringen was een diner bij Maison Troisgros in Roanne. Deze familienaam stond vele decennia lang voor de oerklassieke Franse keuken, maar de kleinzoon van de stichter, Michel Troisgros, heeft een verfrissende nieuwe wind laten waaien door dit iconische etablissement. Hij noemt zijn keuken 'La Cuisine Acidulée' (de friszurige keuken), waarbij hij het belang benadrukt van rinse toetsen in gerechten, omdat ze voor fraîcheur en levendigheid zorgen. Daar kan ik mij volledig in vinden.

Het onthaal in Troisgros is bovendien bijzonder hartelijk, en voor een Franse driesterrenzaak zelfs informeel te noemen. Toen ik er dineerde, zaten mijn dochters – toen amper acht jaar – mee aan tafel, en ze kregen zelfs een speciaal menu opgesteld in vindingrijke kindertaal en frisse kleuren, ondertekend door de chef, die 'Hannah et Geraldine' persoonlijk welkom heette. Tien jaar daarvoor was dat in een Frans restaurant met deze status ondenkbaar geweest. Het toonde aan hoezeer de Franse culinaire wereld er zich bewust van was geworden dat haar vroegere stijfdeftige stijl aan herziening toe was.

Een memorabele culinaire ervaring beleefde ik ook bij Michel Bras in Laguiole. Alleen al de werkelijk grandioze architectuur van zijn hotel-restaurant, als een artistiek statement midden in deze barre hoogvlakte van Aubrac, is de trip waard.

Vijftig kilometer naar het noorden, in Vichy, is ook een creatieve vernieuwer actief, zij het niet met dezelfde virtuoze maturiteit als Bras: Jacques Decoret. Van dat restaurant herinner ik me de meest indrukwekkende kaasplank die ik ooit heb gezien: volgestapeld met grote ruwe blokken kaas uit Auvergne leek het wel een rotsmassief dat op je kwam afgerold.

Al even vernieuwend zijn vader en zoon Régis en Jacques Marcon, in hun prachtige hotel-restaurant in het hooggelegen Saint-Bonnet-le-Froid, een dorp dat zijn naam niet gestolen heeft: het is er altijd tien graden kouder dan in de vallei. De naam Marcon stond vroeger eveneens voor het klassieke Franse driesterrenetablissement, maar onder impuls van de zoon is dat compleet veranderd. De hele filosofie, in en om het restaurant, doet vandaag sterk denken aan Michel Bras.

Pic in Valence was eveneens een Frans culinair monument, een traditionele stopplaats langs de *route nationale* voor reizigers naar het Franse zuiden en Spanje, toen er nog geen autosnelwegen waren. Maar Anne-Sophie, een groot talent van de vierde generatie, heeft ook hier de traditie gecombineerd met vernieuwing.

Jean-Georges Klein van L'Arnsbourg in Baerenthal (60 kilometer ten noorden van Straatsburg) vat zijn visie als volgt samen: '*Tout est possible, il ne faut pas rester figé*' ('Alles is mogelijk, je mag niet verstarren'). Die uitspraak typeert de man zelf: van alle Franse koks leunt hij wellicht het dichtst aan bij de Spaanse vernieuwing. Maar het suggereert tegelijk ook dat de Franse keuken volgens hem inderdaad in een verstarde toestand was geraakt. De keuken van Klein moet je één keer in je leven hebben geproefd.

Wie ook duidelijk Spaanse invloeden in zijn keuken opneemt, is Gilles Goujon van Auberge du Vieux Puits in Fontjoncouse. Zijn restaurant bevindt zich dan ook al dicht bij de Spaanse grens.

Het vermelden waard zijn ook Le Clos des Sens in Annecy, L'Atelier de Jean-Luc Rabanel in Arles en Auberge de la Grenouillère in La Madelaine-sous-Montreuil.

Zelfs in het heel traditionele Bourgogne zijn er twee restaurants die de rijke Bourgondische culinaire traditie op een geheel eigen wijze interpreteren: Le Bénaton en Le Jardin des Remparts, allebei gelegen in Beaune.

Een van mijn meest recente ontdekkingen is Mirazur in Menton, het laatste stadje aan de Côte d'Azur voor de grens met Italië. De chef is de jonge Argentijn Mauro Colagreco. Hij brengt een volkomen unieke en eigen interpretatie van de culinaire vernieuwing. Colagreco werd bekroond met een Michelinster, al werkt hij niet met de gebruikelijke ingrediënten van Franse sterrenrestaurants. Sommige voorgerechten zijn alleen uit groenten samengesteld, maar dan wel groenten die hij pas uit zijn eigen moestuin heeft gehaald. In plaats van zeetong of tarbot geeft hij 'gascon' als hoofdgerecht. Deze weinig bekende vis uit de Middellandse Zee, die een beetje aan makreel doet denken, bevat veel graten en wordt misschien daarom geschuwd door koks. Colagreco dient hem in zijn geheel op, maar volkomen ontgraat. De *cuisson* was van de meeste precieze die ik ooit in mijn leven heb geproefd, de smaak delicaat en verfijnd. Zeetong en tarbot zinken erbij in het niets.

Colagreco's gevoel voor compositie is onovertroffen, zijn presentatie even eenvoudig als virtuoos, het samenspel van smaken hoogst subtiel en verfijnd. Dit is voor mij de echte keuken van de 21ste eeuw. Colagreco gebruikt wel inzichten uit de moleculaire stroming (zoals het garen op lage temperatuur), maar niet de technieken. Dit is een keuken van puur emotie, gevoel en opperste verfijning. Nooit betrap je hem op pretentie of demonstratie: alles blijft eenvoudig, naturel, gedoseerd en beheerst. Maar wat een perfectie en precisie! Voor wie geïnteresseerd is in een glimp van de culinaire wereld na het moleculaire tijdperk, is dit een ervaring om niet te missen. En o ja, voor een absoluut schitterend menu van vier gangen betaalde ik € 55. Dat zal helaas niet blijven duren.

In de opmars en bekendheid van al deze restaurants heeft een nieuwe gids een grote rol gespeeld. Hij werd opgestart door voormalige medewerkers van GaultMillau die het conservatisme van de Franse keuken én van de culinaire journalistiek beu waren. Ze besloten om de vernieuwing een duw in de rug te geven, en lanceerden de term La Jeune Cuisine, waarbij 'jong' niet zozeer voor leeftijd maar wel voor mentaliteit staat. De gids wil een alternatief zijn voor de gidsen van Michelin en GaultMillau, en in die hoedanigheid gebruik ik hem ook als ik in Frankrijk ben.

Door La Jeune Cuisine heb ik tot mijn grote verrassing ontdekt welke concentratie aan culinaire vernieuwing aanwezig is in een regio waar ik het niet had verwacht: Bretagne. In het bijzonder L'Amphitryon – in de voor het overige oersaaie stad Lorient – staat in mijn culinaire geheugen gegrift. Ook Auberge des Glazicks in Plomodiern, La Vieille Tour in Plérin, Le Saint Placide in Saint-Servan-sur-Mer (bij Saint-Malo) en Aux Pesked in Saint-Brieuc zijn eethuizen waar de verfrissende creativiteit van het bord springt.

Door deze heropleving in Frankrijk ging ook Italië zich vragen stellen. Ook daar heerst immers een grote culinaire traditie, alom geprezen en geroemd in de hele wereld. Maar ook daar trof je – hoewel minder uitgesproken dan in Frankrijk – het fenomeen van de verstarring aan, zoals ik onder meer mocht meemaken tijdens een peperdure en ontgoochelende culinaire ervaring in een van de zogenaamde toppers, de Enoteca Pinchiorri in Firenze. Gambero Rosso in San Vincenze was dan weer wel een schitterende belevenis in het klassieke register, maar dat restaurant is intussen gesloten. Osteria Francescana in Modena bleek op een bepaald ogenblik de grootste stijger te zijn in de lijst van The World's 50 Best Restaurants van het Britse vakmagazine *Restaurant* en sponsor San Pellegrino. Dat restaurant werd alom geprezen als vernieuwend. De intentie om de Spaanse vernieuwing te integreren in de Italiaanse keuken was inderdaad aanwezig, maar vaak met een amateuristisch resultaat. Dan was Le Calandre in Rubano van een duidelijk hoger niveau, hoewel dat niet door het hele menu heen werd aangehouden. Cracco in Milaan was consistenter, maar bereikte dan weer niet het niveau van de topmomenten in Le Calandre.

In elk geval lijkt het erop dat Italië nog worstelt met de culinaire vernieuwing. Sommigen zeggen zelfs dat Italië die vernieuwing eigenlijk niet nodig heeft, en dat het voor de traditionele keuken moet blijven gaan omdat die tijdloos is. Maar net zoals in Frankrijk is het ook in Italië een achterhaald idee geworden dat je om het even waar heerlijk kan eten.

Een land dat we niet over het hoofd mogen zien, is Zwitserland. Philippe Rochat (van het Restaurant de l'Hôtel de Ville in Crissier vlakbij Lausanne) wordt beschouwd als de topchef van het land. Zonder echt vernieuwend te zijn, is hij een perfectionist met oog voor elk detail. Ik vergelijk zijn keuken met de precisie van een Zwitsers uurwerk.

Het grote opkomende talent is zonder twijfel Andreas Caminada van het restaurant (en hotel) Schauenstein in Fürstenau, midden in een prachtige streek die Graubünden heet en waar ook fabuleuze pinot noirs gemaakt worden, zoals die van het wijndomein Gantenbein, die moeiteloos de grands crus uit Bourgogne evenaren. Om te beginnen is het restaurant ondergebracht in een schitterend historisch gebouw, dat het midden houdt tussen een klein kasteel en een herenhuis. De renovatie gebeurde met bijzonder veel smaak en respect. De bediening is ongedwongen en spontaan, maar tegelijk van topklasse. Per middag en avond wordt hier voor maximaal 26 mensen gekookt. Als je de uiterst precieze, gedetailleerd uitgewerkte, haast artistieke gerechten krijgt, begrijp je meteen waarom Caminada niet meer mensen kan en wil ontvangen. Ik kon niet meteen bedenken waar je in België of Frankrijk dit soort culinaire ervaringen kan meemaken.

De meest recente golf van culinaire vernieuwing kwam uit een groep landen die – net zoals de Angelsaksische landen – voordien nooit het enthousiasme van de foodies had kunnen opwekken: Scandinavië. Toen ik voor de eerste keer naar Noma in Kopenhagen ging, en daarna naar Oaxen Krog op het eiland Oaxen nabij Stockholm en naar de brasserie van Mathias Dahlgren in Stockholm zelf, verkeerde ik dagen later nog altijd in een soort van culinaire shock. Het gevoel was vergelijkbaar met mijn allereerste keer bij elBulli.

Ondanks het feit dat mijn restaurantrubriek in *De Standaard Magazine* zich beperkt tot België (en af en toe Nederland), kon ik het niet laten om er melding van te maken. 'Foodies, ga daarheen,' schreef ik. 'In Scandinavië is een culinaire revolutie aan de gang, vergelijkbaar met die van tien jaar geleden in Spanje. Het niveau is op alle vlakken verbluffend hoog: vers, verfijnd, licht, origineel, creatief. Tegelijk is het palet van smaken anders dan wat wij gewoon zijn, met veel rinse, zilte, gepekelde, gerookte, minerale en aardse toetsen, in lijn met de culinaire tradities en ingrediënten van het hoge noorden. Een revelatie.'

Ik dacht op een bepaald ogenblik dat ik alles had gezien en geproefd. Maar toen kwamen de Scandinavische chefs. In de meest recente top 50 van beste restaurants ter wereld van het Britse vakblad *Restaurant*, heeft Noma intussen elBulli verdreven van de eerste plaats.

10. Koken de media over?

Wie tien jaar geleden had voorspeld dat koks ooit even beroemd zouden zijn als rocksterren, was wellicht uitgelachen. Vandaag is het zover. Koks zijn uit hun keuken gekomen, en begeven zich in de wereld van business, media en entertainment. Vooral sterrenchefs lanceren nevenactiviteiten zoals kookboeken, tv-programma's, kant-en-klaarmaaltijden en kookgerei onder hun naam, *consultancy* voor grote hotel- en restaurantketens, reclame voor ingrediënten en voedingsmerken... De naam van de kok wordt een merk. En marketingtechnieken worden ingezet om dat merk bekender en geliefder te maken.

Voeding en drank hebben een belangrijk marketingvoordeel ten opzichte van veel andere producten: mensen hebben van nature honger en dorst, meerdere keren per dag zelfs. Dat is een *salestrigger* waarvan vele andere bedrijven alleen maar kunnen dromen. Maar er zijn veel aanbieders op de markt, en het komt er dus op aan om origineler te zijn, op te vallen, bekender te worden. De grote merken van de voedings- en drankenindustrie proberen dat voortdurend, maar het publieke vertrouwen in de industriële producenten is afgenomen. Mensen slikken – letterlijk – niet meer alles. Hun culinaire kennis en interesse zijn toegenomen, samen met hun bezorgdheid over de herkomst van producten, de voedselveiligheid, de gezondheid. Vandaar dat ze op zoek gaan naar vertrouwenspersonen, van wie ze geloven dat die hen geen verdachte voeding in de maag zullen splitsen. Bekende koks blijken perfect geschikt om die rol te vervullen.

Daarnaast is er de wereldwijde explosieve groei van de media- en entertainmentindustrie, en haar onstilbare honger naar *content*. Waarmee kon men het publiek nog boeien naast sport, muziek, film, mode, videogames...? Het was tijd voor iets nieuws: eten en drinken. Het publiek reageerde enthousiast. Voeding werd meer dan een biologische behoefte, het ging om sfeer, smaak, genieten, ontspannen, ontdekken, glamour, vriendschap, *fun*. Kortom: alle ingrediënten waaromheen de entertainmentbusiness haar successen bouwt. Koks groeien dan ook uit tot echte sterren, en worden zelfs aanbeden door hen die al een ster waren.

Het is moeilijk te zeggen wie de eerste grote 'culinaire vedette' was. In Frankrijk exploiteerden sterrenchefs als Paul Bocuse en Georges Blanc al in de jaren 1980 hun 'merknaam', onder meer met een eigen lijn van voedingswaren. Zij traden toen ook al op in tv-programma's, en kookboeken van de grote Franse koks zijn er altijd geweest.

Maar een echte wereldwijde hype kwam er pas met Jamie Oliver. De rol van de media bleek cruciaal. Zonder de BBC-reeks *The Naked Chef* had Jamie Oliver nooit zijn wereldwijde bekendheid kunnen veroveren. Maar het moet gezegd: hij miste de kans die hem werd geboden niet. Hij veranderde radicaal de manier waarop over koken werd gepraat op de televisie. De programma's werden verkocht aan meer dan veertig landen, zijn boeken werden wereldwijde bestsellers, hij werd ingehuurd door de Britse supermarktketen Sainsbury's en trad zelfs op in hun reclamespots, er ontstonden fansites...

Roem heeft zijn keerzijde. Toen Oliver in Londen het restaurant Fifteen opende, waarin hij jonge werklozen aan het werk zette, kreeg hij bakken kritiek over de matige kwaliteit en exuberante prijzen (wat ik overigens zelf ook heb kunnen vaststellen). Hij werd aangevallen omdat hij voor Sainsbury's producten aanprees die helemaal niet zo gezond of authentiek bleken te zijn. Maar toen hij een project opstartte voor betere voeding in de scholen, werd hij ontvangen door de toenmalige premier Blair en draaide de publieke opinie weer bij.

Dat een jonge snaak die nog niets bewezen had (en godbetert uit Engeland kwam) zo'n wereldsucces kreeg, moet heel wat Franse chefs de ogen hebben uitgestoken. Maar het is geen toeval dat precies de Angelsaksische landen het culinaire voortouw nemen: zij hebben niets te verliezen en alles te winnen. Landen als Frankrijk en Italië, algemeen beschouwd als culinaire referenties, dachten dat hen niets kon gebeuren maar werden met een razende vaart voorbijgestoken. Antonio Carluccio, ook een kok die drukbekeken tv-programma's maakte, mocht dan wel een Italiaan zijn, zijn restaurant was gevestigd in Londen. En na Jamie Oliver dook opnieuw een Brits culinair mediafenomeen op: Nigella Lawson. Niet eens een kokkin, maar een culinair redactrice.

De Franse chefs lieten zich niet onbetuigd. Ook zij begonnen aan hun 'merk' te werken. Wie daar het best in slaagde, is Alain Ducasse. Hij wordt beschouwd als een van de grootste chefs in Frankrijk, de enige die drie Michelinsterren wist te veroveren in drie restaurants: Plaza Athénée in Parijs, Louis XV in Monaco en het restaurant van het Dorchester Hotel in Londen. Hij heeft ook een keten van 'luxeauberges' in Frankrijk uitgebouwd, Les Auberges d'Alain Ducasse. De prijzen zijn hoog en de Ferrari's uit Monaco staan er voor de deur. In Parijs, Tokyo en New York heeft hij een luxebistro onder de naam Benoit geopend. In Parijs, Saint-Tropez, Mauritius en Hongkong lanceerde hij een eigentijds restaurantconcept onder de merknaam Spoon. En hij superviseert het restaurant van Hotel Essex House in New York.

In Spanje verlegde Ferran Adrià de grenzen van wat een kok kan, zowel in zijn keuken als op het zakelijke vlak. Zijn restaurant elBulli werd in korte tijd wereldberoemd, en meteen gebruikte Adrià die bekendheid om andere projecten op te starten. Zo ontstond er een keten van luxehotels onder de naam elBulli. En samen met de NH Hoteles Group, de op twee na grootste Europese keten van businesshotels, ontwikkelde hij nieuwe restaurantconcepten: de 'nhube', een plek waar voeding, muziek, boeken en media samenkomen, en Fast Good, waarmee hij wil bewijzen dat 'fastfood' lekker en gezond kan zijn.

Adrià's gamma van ingrediënten onder de naam Texturas – om op een makkelijke manier de effecten van de moleculaire keuken te bekomen – is al goed bekend bij de internationale gemeenschap van koks, maar zal wellicht stilaan ook de grootdistributie worden binnengeloodst, zodat gewone moeders en vaders ze kunnen aanschaffen en in hun thuiskeukens gebruiken. De tijd dat de klassieke maizena zal worden vervangen door het Texturasproduct Xantana en de gelatinebladen door Agar, is niet meer veraf.

En België? Een van de voorlopers was natuurlijk Piet Huysentruyt. Hij had ooit de ambitie om een vernieuwende kok te zijn (in zijn restaurant in Wortegem-Petegem), maar besliste om 'BV-kok' te worden op de commerciële zender. Dat zorgde voor zoveel 'merkbekendheid' dat hij eigen kookboeken, voedingswaren en kookgerei op de markt kon brengen.

Op de lifestylezender Vitaya werd Guy Van Cauteren (van 't Laurierblad in Berlare) aangezocht als tv-kok. Christer Elfving, de Zweed die Vlaanderen verraste met een creatieve versie van de Scandinavische keuken, was vaker op de televisie te zien dan in zijn eigen keuken. Of er een oorzakelijk verband is met het failliet van zijn restaurant Absoluut Zweeds blijft de vraag.

De piepjonge Jeroen Meus begon nog maar net succes te hebben in restaurant Boardroom in Heverlee, of hij kreeg al een aanlokkelijk aanbod van vtm om de 'Jamie Oliver van de Lage Landen' te worden. Hij richtte een eigen bedrijf en management op: je kon hem inhuren voor media en evenementen, net zoals een muzikant. Nadien opende hij alsnog zijn eigen restaurant, Luzine in Leuven.

Intussen verhuisde Meus naar de VRT, waar hij onder meer een rubriek in *De laatste show* verzorgde, en een eigen programma kreeg op Canvas, *Plat Préféré*. In het najaar van 2010 presenteerde Meus het programma *Dagelijkse kost*. Op Canvas volgde nog het programma *In de keuken*, waarin acteur Wim Opbrouck op bezoek ging bij grote koks, en vervolgens bij enkele Bekende Vlamingen, die een menu van deze koks trachtten na te maken. De vervlechting tussen koks enerzijds en figuren uit media en entertainment anderzijds was daarmee compleet.

De grootste mediahype van de laatste jaren is zonder enige twijfel het vtm-programma *Mijn Restaurant!*, waardoor driesterrenkok Peter Goossens een mediavedette werd. Wellicht onder invloed daarvan lanceerde de zender een ander kookprogramma, *Chef in nood*, waarin koks als Luc Bellings en Stéphane Buyens collega's in slabakkende restaurants gingen helpen. Ook andere tv-zenders zoals VT4 voelden zich geroepen om programma's over eten en koken op het scherm te brengen.

Het mediabedrijf Studio 100 (van onder meer *Samson & Gert* en *Kabouter Plop*) lanceert, samen met Peter Goossens, zelfs een volledige digitale tv-zender over koken, onder de naam *Njam!*

Men gaat dus steeds verder weg van de oorspronkelijke programma's waarin een bekende kok advies, tips en recepten geeft aan de kijkers. Eten en koken worden thema's waarrond een volledig entertainmentformat wordt opgezet (of zelfs een volledige tv-zender). Net zoals er een systematische zakelijke samenwerking is gegroeid tussen de media enerzijds en de sport- en muziekbusiness anderzijds, gebeurt dat nu ook tussen de media en de culinaire business.

Belgische koks zetten net als hun buitenlandse collega's de stap naar het commerciële circuit van de grootdistributie. Pierre Wynants van Comme Chez Soi bracht plots onder zijn naam kant-en-klaarmaaltijden in de supermarkt. Andere chefs volgden: Peter Goossens van Hof van Cleve, Yves Mattagne van Sea Grill, Wout Bru van Le Bistrot d'Eygalières, Bart Desmidt van Bartholomeus... Twee van hen, Mattagne en Bru, figureerden zelfs in tv-commercials van Delhaize, die de maaltijden commercialiseert.

Het hoeft niet te verwonderen dat koks graag meegaan in deze evolutie. In de beslotenheid van hun keuken moeten ze veel uren kloppen om uiteindelijk niet zoveel te verdienen. Media-aandacht en nevenactiviteiten maken het mogelijk om een multiplicatoreffect te creëren en beter beloond te worden voor hun werk. De uitdaging blijft om dat te combineren met het behoud van de kwaliteit in hun restaurant. Want ondanks alles blijft dat voor de meesten het uithangbord waarmee alles staat of valt.

Frank Fol, eigenaar en kok van restaurant Sire Pynnock in Leuven, besliste niettemin om zijn restaurant te verkopen. Hij had al eens een tv-programma gehad op het toenmalige TV1, *Mondfol*. Onder meer daardoor werd hij bekend als 'groentekok'. Naast zijn activiteit als kok in zijn restaurant startte hij met een consultingbedrijfje, Future Food. Hij gaf advies aan industriële voedingsbedrijven en stond mee aan de wieg van de gezonde fastfoodketen EXKi. Daardoor leerde hij andere mensen uit het bedrijfsleven kennen, onder wie Peter Van Roy, een voedingsingenieur die al veel productielijnen had opgestart voor grote voedingsbedrijven. Die wilde zijn eigen zaak en vroeg aan Frank Fol of hij niet wilde meedoen. Dat was voor Fol de aanleiding om het restaurantleven vaarwel te zeggen. Hij werd mede-eigenaar van het bedrijf Veggie Painter. Dat bedrijf produceert groentesauzen en -garnituren, waaronder een product waarop Fol een patent heeft: de légumaise, een vervanger voor mayonaise op basis van groenten, met een veel lager vetgehalte. Het bedrijf produceert nu meer dan dertig verschillende légumaises, tapenades, coulis, pesto's, chutneys... allemaal op basis van groenten. Veggie Painter is gevestigd op enkele honderden meters van de Mechelse groenteveiling, zodat de groenten supervers zijn als ze verwerkt worden. Grote klanten zijn EXKi en Delhaize.

Om het plaatje compleet te maken, richtte Fol ook een bedrijfje op om al zijn communicatieactiviteiten te bundelen: kookboeken, mediaoptredens, evenementen... Hij wordt onder meer door Belgische zakenlui en ambassades in het buitenland gevraagd om als vertegenwoordiger van de Belgische gastronomie op te treden, zowel in Europa, Azië als Afrika. 'Het culinaire is belangrijk geworden voor het imago van een land, net zoals de sport,' vertelde hij daarover. 'Koks worden vandaag gekocht door bedrijven, zoals voetbalvedetten. Dat kan leiden tot het snel opbranden van een talent, zoals met Gilles De Bilde is gebeurd in het Belgische voetbal. We gaan naar een vedettencultus in het koken, maar sommigen gaan daardoor te snel zweven.'

Groeiende zakelijke belangen enerzijds en een toegenomen aandacht van de media anderzijds, leiden tot een situatie waarin vermenging van beide onontkoombaar wordt. In hun zoektocht naar *content* om hun publiek te blijven boeien en zo mogelijk een nieuw publiek aan te trekken, hebben de media bekende koks nodig. Omgekeerd hebben deze koks – om nog bekender te worden en meer zakelijk succes te genereren – de media nodig. Beide hebben dus een belang bij constructieve samenwerking, wat dan ook gebeurt.

Het gaat overigens niet alleen om koks. Ook andere spelers in de culinaire wereld hebben de weg naar samenwerking met de media gevonden: restaurantgidsen zoals die van GaultMillau en Michelin, uitgeverijen van kookboeken, organisatoren van culinaire events, invoerders van voedingsproducten en wijnen... Allemaal hebben ze begrepen dat de media inzetbaar zijn om hun zakelijke belangen te dienen, zolang ook de belangen van de media gediend zijn.

Een van de noodzakelijke voorwaarden om in de media aan bod te komen, kennen ze heel goed: het moet om nieuws gaan. Vandaar dat bijvoorbeeld de gidsen zich doelbewust inspannen om elk jaar met nieuwe bekroningen van koks en restaurants uit te pakken, zelfs als daar geen objectieve reden toe is. Net zoals in de reclame wordt het etiket 'Nieuw!' belangrijker dan de realiteit. Al jaren blijven de gidsen eigenlijk in hetzelfde kringetje van dezelfde koks ronddraaien.

Dat daarbij het ene jaar de ene kok, en het andere jaar een andere kok wordt bekroond, wordt in wezen een arbitraire beslissing, eerder ingegeven door het feit dat er nieuws nodig is, dan dat ze op een onderbouwde argumentatie gesteund zou zijn. Het verwondert mij telkens weer hoe de meeste media daarin slaafs meegaan.

Precies omdat ik uit de reclamewereld kom, herken ik maar al te goed de technieken die door allerhande spelers uit de culinaire sector worden aangewend om in de media op een positieve manier aan bod te komen. En vaak sta ik versteld van de hoeveelheid positieve aandacht die de media zomaar gratis en kritiekloos weggeven.

In de reclame is het mijn vak om bedrijven (en eventueel personen) van hun positieve kant te laten zien. Precies daarom is een vrije column over wijn en restaurants een welkome afwisseling voor mij. Hierin wil ik dan ook de volledige onafhankelijkheid die ik in mijn vakgebied niet heb. Tot mijn verrassing zie ik echter meermaals dat professionele journalisten gewoon overnemen wat anderen, op zoek naar positieve aandacht in de media, hen voorkauwen. In dat geval oefenen zij eigenlijk mijn vak uit: reclame. Tegen een veel goedkoper tarief of vaak zelfs helemaal gratis.

Twee voorbeelden maken dit duidelijker. Toen de Eerste Sommelier van België in 2008 een jonge vrouw bleek te zijn, Hilde Jonckheere, waren de media er snel bij om dat in de verf te zetten en haar als de nieuwe vedette van de wijnwereld te lanceren. Jonckheere zegde kort daarna haar job als sommelier op, om een eigen bed & breakfast annex restaurant te beginnen in Jabbeke, onder de naam Tannine et Cuisine. Zowel in het persbericht als op de website werd Tannine et Cuisine als een gastronomisch wijnparadijs voorgesteld, en zo werd het ook in de media gebracht.

Ik trok ernaartoe voor de restaurantrubriek, en moest ter plaatse vaststellen dat niet alleen het kader maar ook en vooral het eten helemaal niet overeenkwamen met de kwaliteit die was voorgespiegeld. Integendeel, het was een diepe teleurstelling, niet meer waard dan één bordje. De conclusie lag voor de hand: al die journalisten die Tannine et Cuisine lyrisch hadden aangekondigd in hun media, waren er gewoon niet geweest. Ze hadden zich gebaseerd op de informatie die de eigenaars zelf hadden verstrekt. Ik kon het weten: ik had die informatie ook gekregen en gelezen. En ik zag nadien dat de mediaberichten opvallend gelijklopend waren.

Iets gelijkaardigs gebeurde met de opening van de maritieme brasserie Pure C van de beroemde kok Sergio Herman van het al even beroemde driesterrenrestaurant Oud Sluis. Ten opzichte van zo'n monument zie je de kritische zin van de media nog meer wegebben. Wie zou Sergio Herman tegen de haren durven te strijken? Je mag nadien misschien niet meer binnen in zijn restaurant, laat staan dat je nog uitgenodigd zou worden voor een perslunch.

Nog voor deze brasserie opening, kreeg ze al een vloed van verheerlijkende redactionele aandacht in de media. Het Pure C-concept, uitgewerkt door Sergio Herman, werd uitgebreid uit de doeken gedaan: alles stond in het teken van *'pure sea'*. Toen ik ter plaatse was, merkte ik dat dit niet klopte in het belangrijkste onderdeel van een brasserieconcept: de menukaart. Daar trof ik uit de zee alleen oesters en baars aan, verder moest je het doen met onder meer Black Angus BBQ met dikke frieten of een Thais gerecht onder de naam 'Tom ka kai' (met kip en krab). Ik zag ook gietijzeren schotels met gestoofd vlees passeren, horend bij de menu's. Waarom had ik dat in de media niet vernomen? Je had niet eens naar het restaurant moeten gaan om het op te merken: één blik op de menukaart had het al duidelijk gemaakt. Maar wellicht was de menukaart nog niet klaar op het ogenblik dat het artikel moest verschijnen.

Net zoals in de meeste bedrijven is er ook in de mediabedrijven altijd een gebrek aan tijd en een gebrek aan middelen. Vandaar dat men niet elk bericht uit elke hoek kan natrekken, laat staan dat men ter plaatse zou kunnen gaan om het te onderzoeken. De wereld draait door, een dag duurt maar 24 uur, de drukpersen worden 's avonds in gang gezet, en de concurrentie – die het bericht al kan brengen terwijl jij het nog onderzoekt – loert altijd om de hoek.

De culinaire sector heeft natuurlijk geen grote maatschappelijke relevantie. Maar misschien is het wel een miniatuurvoorbeeld van wat er ook in andere sectoren gebeurt.

Media-aandacht, gecombineerd met de aandacht van de gidsen, die ook een tandje moeten bij steken om nog gehoord te worden, leidt uiteraard tot meer bekendheid van de restaurants in kwestie. Dat leidt dan weer tot meer klanten, en het economische gevolg laat zich raden: meer vraag betekent hogere prijzen. Je kunt het zo voorspellen: restaurants die op een bepaald ogenblik in de kijker lopen, laten dat in de meeste gevallen snel volgen door een verhoging van hun prijzen. Restaurants die minder aandacht krijgen, houden hun prijzen angstvallig op peil.

Sowieso hebben de meeste restaurants in de door mij onderzochte periode tussen 2005 en 2010 hun prijzen met 10% opgetrokken. Gezien de inflatie kan dat als normaal worden beschouwd. Maar sommige restaurants doen duidelijk beter. Sinds La Durée in Izegem goede recensies en een Michelinster kreeg, ging de prijs van het viergangenmenu omhoog van € 50 naar € 70, en het vijfgangenmenu van € 60 naar € 80. Voor Clandestino gebeurde hetzelfde: het viergangenmenu steeg van € 55 naar € 65. De Jonkman trok de prijs van vier gangen op van € 50 naar € 70. Het lunchmenu van C-Jean in twee gangen, dat op € 25 stond, werd plots € 35. Cuisinémoi ging van € 40 naar € 48 voor vier gangen, en van € 50 naar € 65 voor vijf gangen. 't Zilte (bekroond met een tweede ster en vaak aanwezig in de media) vindt zijn vijfgangenmenu nu € 95 waard, terwijl het enkele jaren geleden nog € 80 kostte. Hetzelfde gebeurde met het zevengangenmenu: van € 90 naar € 115.

Sofie Dumont van het restaurant Les Eleveurs werd Lady Chef of the Year, en dat vertaalde zich snel in de prijs van het driegangenmenu (van € 39,50 naar € 49,50) en het vijfgangenmenu (van € 59,50 naar € 69,50). Little Asia, waarvan de eigenares eveneens vaak in de media kwam, trok haar viergangenmenu op van € 30 naar € 45 (al moet ik daar eerlijkheidshalve aan toevoegen dat ook de kwaliteit gevoelig verbeterd is). Een andere sterke stijger is Zeno in Brugge: van € 40 naar € 55 (vier gangen), van € 50 naar 65 (zes gangen) en van € 55 naar € 70 (zeven gangen). Ook De Godevaart in Antwerpen laat zich niet onbetuigd: van € 45 naar € 75 (vijf gangen), van € 54 naar € 90 (zes gangen) en van € 63 naar € 105 (zeven gangen).

Deze prijsevolutie werd alleen gemaakt voor menu's met hetzelfde aantal gangen. Heel wat restaurants veranderen hun formules geregeld. Zo is een bepaald aantal gangen bijvoorbeeld plots niet meer verkrijgbaar (zodat je de prijs van een driegangenmenu van vijf jaar geleden niet meer kunt vergelijken met de huidige prijs, omdat er alleen nog een viergangenmenu verkrijgbaar is). Andere zaken bemoeilijken eveneens een helder zicht op de prijzen: sommige menu's zijn alleen 's middags verkrijgbaar of niet op vrijdag- en zaterdagavond, sommige prijzen zijn inclusief koffie en/of een glas wijn en/of aperitief... Sommige restaurants vermelden zelfs het aantal gangen niet meer en presenteren 'degustatie-menu's', die uit vele kleine creaties bestaan die je nauwelijks als een echte gang kunt beschouwen.

De algemene tendens moet duidelijk zijn: de prijzen zijn gestegen, en door meer media-aandacht stijgen de prijzen nog meer. De btw-verlaging op het eten, door-gevoerd in 2010, heeft vrijwel nergens tot een prijsdaling geleid. De meeste restaurants bezorgen hun klanten niet eens een uitsplitsing van de btw op het eten en op de drank.

Met de groeiende aandacht van de media duikt ook in het culinaire domein een fenomeen op dat in andere sectoren en andere landen al veel actiever is: de public relations. Bedrijfjes of personen die zich daarin specialiseren, werken in opdracht van klanten die uit zijn op positieve aandacht in de media. Alleen plegen zij daartoe geen ruimte in de media aan te kopen (zoals reclamebureaus dat doen), maar proberen zij aandacht los te weken op de redactionele pagina's. In de culinaire sector zijn die klanten vaak koks en restaurants. Maar ook voedings- en wijnbedrijven en tv-figuren doen een beroep op de technieken van public relations.

Wie via pr in de media aan bod wil komen, betaalt in principe niet rechtstreeks voor de mediaruimte of zendtijd. Er wordt ingespeeld op twee dingen waaraan het mediaredacties altijd ontbreekt: tijd en geld. (Of dat gebrek er echt is, of dat de aandeelhouders van de mediabedrijven gewoon meer winst willen, is voer voor discussie.)

Op het gebrek aan tijd spelen de pr-bedrijven in door nieuws, verhalen of reportages al zodanig voor te bereiden dat de inspanning van de journalisten beperkt kan blijven. Op het gebrek aan geld wordt ingespeeld door bijvoorbeeld fotomateriaal en productstalen ter beschikking te stellen, gratis uitnodigingen voor evenementen te voorzien, reis- en verblijfkosten te betalen, geschenken voor lezers (en journalisten) te bezorgen, de toezegging te doen om een pakket traditionele reclameruimte aan te kopen... Stilaan dringt ook het gebruik door om daarbovenop nog een rechtstreekse financiële bijdrage te leveren, al dan niet verpakt onder de noemer 'sponsoring'. Het is evident dat hier een grijze zone ontstaat, waarin het onderscheid tussen journalistiek en reclame vervaagt.

Vanuit de culinaire sector is de meest toegepaste pr-techniek het uitnodigen van journalisten op perslunches of het aanbieden van een lunch of diner naar keuze voor twee personen. Het onderscheid tussen beide is belangrijk. Een perslunch wordt meestal georganiseerd bij de opening van een nieuw restaurant, bij belangrijke veranderingen (zoals een nieuwe kok of een nieuw interieur), of bij evenementen zoals het tienjarig bestaan van een restaurant. Iedereen die over restaurants schrijft of programma's maakt, wordt dan gezamenlijk uitgenodigd, meestal op een middag. Zulke bijeenkomsten stellen de recensent in staat om een eerste idee te krijgen van een nieuw restaurant, of om op de hoogte te blijven van de evolutie van een restaurant. Als ik over datzelfde restaurant nadien een recensie wil schrijven, ga ik er opnieuw naartoe, waarbij ik zoals altijd onder een andere naam reserveer en dus onaangekondigd kom. Is de kans dat de kok mij zal herkennen dan groter, omdat ik op de perslunch aanwezig was? Tot mijn grote verrassing valt dat nogal mee, omdat op perslunches vaak zoveel volk rondloopt dat je als individuele recensent minder opvalt. Boze tongen beweren dat er koks zijn die goed kunnen doen alsof ze iemand niet (her)kennen.

Helemaal anders is de praktijk om recensenten, journalisten of andere mediaprofessionals elk afzonderlijk uit te nodigen om in een restaurant te komen eten (meestal voor twee personen). Je wordt in dat geval verzocht het pr-bureau te contacteren, zodat die de reservatie kan regelen. Uiteraard is het restaurant op de hoogte van de dag en het uur dat je komt, en het spreekt voor zich dat de nodige zeilen dan bijgezet worden om de maaltijd vlekkeloos te laten verlopen. Zo'n uitnodiging kan interessant zijn om de evolutie van een kok te volgen, maar ze mag nooit worden gekoppeld aan een recensie, omdat die dan onvermijdelijk gekleurd is.

Sommige pr-bureaus staan toe dat de uitgenodigde recensent toch onaangekondigd en anoniem kan gaan eten. Je krijgt dan een brief die je pas na de maaltijd afgeeft aan het restaurant, zodat je de rekening niet hoeft te betalen. Uiteraard heeft het pr-bureau aan het restaurant gemeld wie zo'n brief gekregen heeft, en op welke datum. De kok weet dan niet op welke dag welke recensent zal komen, maar hij weet natuurlijk wel dat hij meer dan waarschijnlijk in de komende dagen of weken bezoek zal krijgen. De recensent maakt zich na de maaltijd kenbaar door het afgeven van de 'betalingsbrief'.

Deze methode mag dan al iets aanvaardbaarder lijken (omdat je eigenlijk onaangekondigd bent gekomen), maar het feit blijft dat je een 'geschenk' hebt gekregen en dus eigenlijk schatplichtig bent geworden aan de restauranthouder en/of het pr-bureau. Want stel dat het eten is tegengevallen: kun je dat dan nog schrijven? Eén keer misschien wel. Maar zal het pr-bureau nadien nog hetzelfde risico willen lopen met een ander restaurant? Tenslotte heeft het pr-bureau er belang bij dat de recensies positief zijn: het riskeert anders het restaurant als klant te verliezen. Waarom zou een restaurant immers blijven betalen voor pr-diensten en voor gratis diners als de resultaten negatief zijn?

Men moet niemand iets wijsmaken: wie systematisch uitnodigingen begint te aanvaarden met het oog op een recensie, kan niet meer op dezelfde manier te werk gaan als voorheen. Je wordt een radertje in een pr-machine, dat af en toe voor de vorm wat kan tegensputteren, maar er eigenlijk in het algemeen toe bijdraagt dat de publiciteitsmachine vlot blijft draaien.

Het is niet altijd makkelijk om daar volledig buiten te blijven. Allereerst moet je als individuele recensent de nodige middelen krijgen van het medium waarvoor je werkt: de rekeningen van de restaurants moeten worden betaald, en de tijd die je er insteekt, moet eerlijk worden vergoed. Dat is niet overal het geval, waardoor de recensent begrijpelijkerwijs manieren zoekt om toch zijn job te kunnen doen tegen een redelijke betaling.

Zelfs als die fundamentele voorwaarde vervuld is, dan nog word je, ongevraagd, aan bepaalde invloeden blootgesteld. Zo is het mij al meermaals overkomen dat ik door de naam op mijn kredietkaart herkend werd, waarna de kok naar mijn tafel kwam en op mij begon in te praten. Soms wordt er dan een vorm van emotionele chantage gepleegd: hij is nog maar net begonnen en heeft het financieel moeilijk (temeer omdat hij pas een kindje heeft gekregen), of er liep vandaag wel het een en ander fout in de keuken omdat een van zijn medewerkers zich lelijk verwond had aan de hand.

Ook wordt soms het aperitief of de wijn aangeboden. De recensent die zijn deontologie hoog in het vaandel draagt, sputtert dan tegen, maar hoe kan hij zich verzetten tegen een kok die een bepaald bedrag mordicus niet op de rekening wil zetten? Hij zou dat bedrag gewoon op de tafel kunnen achterlaten, maar dat moet hij dan wel uit eigen zak betalen. Hij beschikt immers niet over een officieel betalingsbewijs dat hij aan de boekhouding van zijn opdrachtgever moet voorleggen om terugbetaald te worden.

Ik heb ook al meegemaakt dat ik pas thuis merkte dat bepaalde zaken ongevraagd en onaangekondigd niet waren aangerekend. Wat kun je doen in zo'n geval? Terugbellen naar het restaurant en het rekeningnummer eisen zodat je het bedrag alsnog kunt storten? Ik heb al overwogen om niet langer met mijn eigen kredietkaart te betalen. Maar dan moet ik wel telkens iemand anders bereid vinden om voor mij te betalen, waarna ik het bedrag kan terugstorten.

Door ervaring wijzer geworden, weet ik nu: wat de recensent ook doet, altijd kan hij in een onverwachte situatie verzeild raken waarop hij ogenblikkelijk moet reageren, soms met een verkeerde reactie tot gevolg. Zo werd ik ooit door een bevriend koppel voor mijn verjaardag uitgenodigd in een gereputeerd sterrenrestaurant, waar de kok mij kent. Na het diner kwam hij mij groeten en meldde hij dat de rekening slechts voor twee personen was opgemaakt (in plaats van voor vier). Dat bracht mij in een heel vervelende situatie, omdat mijn vrienden de rekening zouden betalen (wat de kok uiteraard niet wist). Kon ik erop aandringen om die rekening te verdubbelen, wetende dat ik daarmee mijn vrienden op kosten joeg? Ik heb het toen maar zo gelaten. Maar eens te meer besefte ik hoe snel je je op een hellend vlak kunt bevinden. En dat je eigenlijk maar beter strikt blijft in die zaken, waarbij de regel is dat je alleen een recensie schrijft als je de rekening betaald hebt.

Overigens valt het mij op dat ik de laatste tijd niet meer uitgenodigd word door pr-bureaus waarvan ik vroeger wel uitnodigingen kreeg. Is dit de tol die je betaalt door ook negatieve recensies te schrijven? Dat heeft een nadeel: je bent via de pr-kanalen niet meer op de hoogte van de opening van nieuwe restaurants, in tegenstelling tot je collega-concurrenten. Dus moet je je toevlucht nemen tot andere kanalen, wat meer werk inhoudt.

Naast mijn columns over gastronomie en wijn heb ik altijd een andere job gehad. Ik ben dus geen beroepsjournalist. Maar door dichter bij dat vak te staan, merk ik wel hoe moeilijk het voor de individuele journalist is om voortdurend aan het professionele ideaal van nauwkeurigheid, objectiviteit en onafhankelijkheid te voldoen. Er is, zoals gezegd, de constante druk van tijd en middelen, maar ook de druk van de verkoop, van de concurrentie en van het publiek zelf, dat sneller dan vroeger in de pen kruipt, giftige mails stuurt, zijn ongenoegen via allerhande nieuwe media ventileert, een advocaat inschakelt of over het hoofd van de journalist heen rechtstreeks naar de hoofdredactie of zelfs de algemene directie stapt. Gelukkig beweeg ik mij slechts in de relatief kleine wereld van het eten en drinken, waar de druk nog meevalt omdat de belangen minder groot zijn dan in sommige andere sectoren. Ik vraag mij soms af hoe je in die andere sectoren met de druk omgaat.

Uiteindelijk is er iets wat de druk altijd verlicht, en dat is de passie, de belangrijkste drijfveer waarom ik over eten en wijn schrijf. Het is ook de reden waarom ik zo diep ontgoocheld kan zijn over een kok die geen moeite doet, en laaiend enthousiast over degene die er elke keer weer staat om zijn klanten een schitterende maaltijd te bezorgen. Ik heb trouwens gemerkt dat het ook de passie is die de echt goede koks onderscheidt van de andere. Waar geen passie is, eet je niet goed.

Vijf jaar vier bordjes (2005-2010)

Onderstaande alfabetische lijst is een bijgewerkt en aangepast overzicht van de restaurants waar ik de afgelopen vijf jaar van een uitstekende verhouding tussen prijs en kwaliteit heb genoten.
Het vervolg leest u elke zaterdag in De Standaard Magazine.

Afoodaffair, Korte Meer 25, 9000 Gent
Tel. 09/224.18.05, www.afoodaffair.be.
Versbereide oosterse gerechten in een trendy sfeer.

L'Annexe, Visélaan 30, 1170 Brussel (Watermaal-Bosvoorde)
Tel. 02/673.30.26, www.restaurant-lannexe.eu.
Eigentijdse creatieve keuken van een talent in wording.

Bartholomeus, Zeedijk 267, 8301 Heist aan Zee
Tel. 050/51.75.76, www.restaurantbartholomeus.be.
Verfijning en evenwicht in een stijlvol kader.

Bistro Vin d'Ou, Terlinckstraat 2, 2600 Berchem
Tel. 03/230.55.99, www.vindou.be.
Focus op pure en eerlijke producten, met flair tot in het bord gebracht door de voormalige kok van Dock's Café.

Bon-Bon, Karmelietenstraat 93, 1180 Brussel
Tel. 02/346.66.15, www.bon-bon.be.
Dagverse aanvoer van topproducten van uitgelezen herkomst, loepzuiver bereid door een fijnzinnige *artisan-cuisinier.*

Chai Gourmand, Chaussée de Charleroi 74, 5030 Gembloux
Tel. 081/60.09.88, www.chaigourmand.be.
Eigentijdse terroirkeuken met smaak.

Le Chalet de la Forêt, Lorrainedreef 43, 1180 Brussel
Tel. 02/374.54.16, www.lechaletdelaforet.be.
Franse topkeuken met vernieuwende accenten, in een chique sfeer.

C-Jean, Cataloniëstraat 3, 9000 Gent
Tel. 09/223.30.40, www.c-jean.com.
Sprankelende culinaire creaties van een van onze grootste jonge talenten.

Clandestino, Willem Van Doornyckstraat 2, 9120 Haasdonk
Tel. 03/755.85.89, www.clandestino.nu.
Veel aandacht voor groenten in deze verfrissende creatieve keuken.

Couvert Couvert, Sint-Jansbergsesteenweg 171, 3001 Heverlee
Tel. 016/29.69.79, www.couvertcouvert.be.
Kader, bediening, wijn en eten van hoog niveau, in een informele sfeer.

Cuchara, Lepelstraat 3, 3920 Lommel
Tel. 011/75.74.35, www.cuchara.be.
Wervelende gerechten van een creatieve en technisch
begaafde jonge kok.

Cuisinémoi, rue Notre Dame 44, 5000 Namur
Tel. 081/22.91.81, www.cuisinemoi.be.
Een van de beste vertegenwoordigers van de gepassio-
neerde jonge Waalse garde.

Dôme, Grote Hondstraat 2, 2018 Antwerpen
tel. 03/239.90.03, www.domeweb.be.
Hoogst verfijnde, haast minimalistische keuken in een
van de mooiste eetzalen van het land.

L'Eveil des Sens, rue de la Station 105, 6110 Montigny-
le-Tilleul
Tel. 071/31.96.92, www.eveildessens.be.
Franse keuken met Noord-Afrikaanse accenten van een
briljante Marokkaanse kok.

Il Fiore, Rijksweg 560, 3630 Maasmechelen
Tel. 089/70.45.66, www.ilfiore.be.
Fijne, delicate Italiaanse keuken in een gezellige sfeer.

De Godevaart, Sint-Katelijnevest 23, 2000 Antwerpen
Tel. 03/231.89.94, www.degodevaart.be.
Een van de jonge moleculaire talenten die de culinaire
vernieuwing hoog in het vaandel voeren.

Héliport, boulevard Frère Orban 37z, 4000 Liège
Tel. 04/252.13.21, www.restauranttheliport.be.
Schitterende locatie met uitzicht op de Maas, onberispe-
lijke keuken met topproducten.

Hertog Jan, Torhoutsesteenweg 479, Brugge
Tel. 050/67.34.46, www.hertog-jan.com.
De meest talentrijke kok van zijn generatie, die moleculaire technieken koppelt aan een culinaire visie waarin
eenvoud, precisie en smaakdefinitie centraal staan.

't Huis van Lede, Lededorp 7, Lede (Kruishoutem)
Tel 09/383.50.96, www.thuisvanlede.be.
Smakelijke Frans-Belgische terroirgerechten, licht en
verfijnd gebracht.

Jaloa Restaurant, Schuitenkaai 4, 1000 Brussel
Tel. 02/513.19.92, www.jaloa.com.
De Franse culinaire traditie in een verlichte versie, met
hier en daar een oosters accent. (Niet te verwarren met
Jaloa Brasserie.)

De Kristalijn, Wiemesmeerstraat 105, 3600 Genk
Tel. 089/35.58.28, www.stiemerheide.be.
Verrassende kwaliteit en verfijning in dit minder bekende
restaurant van een groot hotel.

De Kromme Watergang, Slijkplaat 6, 4513KK Hoofd-
plaat, Nederland
Tel. 0031-11/734.86.96, www.krommewatergang.nl.
Spartelverse vis en schaaldieren, zo licht en puur mogelijk
bereid.

De Kruidenmolen, Dorpsstraat 1, 8420 Klemskerke-De Haan
Tel 059/23.51.78, www.kruidenmolen.be.
Gezellige familiale taverne, met topklasse in het bord.

De Kruier, Ramskapellestraat 66, 8301 Knokke-Heist
Tel. 050/51.53.13, www.kruier.be.
Verzorgde gerechten in een gezellige taverne.

Lam & Yin, Reyndersstraat 17, 2000 Antwerpen
Tel. 03/232.88.38.
Verfijnde Chinese keuken, met verse ingrediënten en een beperkt aantal gerechten op het moment zelf bereid.

Mange-Tout, Oostendelaan 292, 8430 Middelkerke
Tel. 059/50.54.35, www.restaurantmangetout.be.
Verrassend creatieve keuken en prima wijnkaart in een voormalig Quickrestaurant.

Mont Liban, Livornostraat 30-32, 1050 Brussel
Tel. 02/537.71.31, www.montliban.be.
De Libanese keuken in al zijn glorie en generositeit, tegen prijzen buiten concurrentie.

Nuance, Kiliaanstraat 6-8, 2570 Duffel
Tel. 015/63.42.65, www.resto-nuance.be.
Moleculaire techniek in dienst van visuele schoonheid en subtiel verweven smaken.

Nzet, Oudburg 58, 9000 Gent
Tel. 09/225.62.22, www.nzet.be.
Delicate keuken van een begenadigde kok met gevoel
voor fijne textuur en zuivere smaakexpressie.

D' Oude Pastorie, Hijfte-center 40, 9080 Lochristi
Tel. 09/360.84.38, www.doudepastorie.com.
Lichte eigentijdse keuken met creatieve accenten, van een
gemotiveerde jonge kok.

Oud Sluis, Beestenmarkt 2, 4524 EA Sluis, Nederland
Tel. 0031)-117/46.12.69, www.oudsluis.nl.
Heel duur, maar dan ook wereldklasse: Sergio Herman
hoort thuis in de eregalerij van de echt grote koks.

La Paix, Ropsy-Chaudronstraat 49, 1070 Brussel
Tel. 02/523.09.58, www.lapaix1892.com.
Een unieke combinatie van topkeuken en brasseriesfeer.

Aux Petits Oignons, Chaussée de Tirlemont 260, 1370
Jodoigne (Geldenaken)
Tel. 010/76.00.78, www.auxpetitsoignons.be.
Potentiële topkok kiest voor eenvoudige gerechten tegen
scherpe prijzen, maar zijn talent kan hij niet verbergen.

Philippe Nuyens, J. de Troozlaan 78, Blankenberge
Tel. 050/41.36.32.
Eenvoudig eethuis zonder pretentie, maar grote klasse in
het bord.

Les Pieds dans le Plat, Rue du Centre 3, 6900 Marenne
Tel. 084/32.17.92, www.lespiedsdansleplat.be.
Een afgelegen ligging heeft zijn voordelen: om mensen naar hier te krijgen, moet je een onklopbare verhouding tussen prijs en kwaliteit bieden.

Prêt-à-Goûter, Sint-Jobstraat 83, 3550 Heusden-Zolder
Tel. 011/20.16.80, www.pretagouter.be.
Zinderende smaaksensaties van absolute topproducten uit heel Europa, in al hun eenvoud bereid.

Refter, Molenmeers 2, 8000 Brugge
Tel.: 050/44.49.00, www.bistrorefter.com.
Het talent en vakmanschap van driesterrenkok Geert Van Hecke in brasserieversie.

Resto Henri, Vlaamse Steenweg 113-115, 1000 Brussel
Tel. 02/218.00.08, www.restohenri.be.
No-nonsense-eethuis, met voortreffelijke kwaliteit in het bord.

Salsifis, Gentseweg 536, 9120 Beveren-Waas
Tel. 03/755.49.37, www.salsifis.be.
Onberispelijke versheid, lichtheid en creativiteit in dit voormalige baancafé.

De Schone van Boskoop, Appelkantstraat 10, 2530 Boechout
Tel. 03/454.19.31, www.deschonevanboskoop.be.
Een kok die als geen ander de krachtige diepe smaken van een terroirkeuken kan combineren met elegantie en verfijning.

Slurps, Dautzenbergstraat 7, 1050 Brussel
Tel. 02/647.47.38, www.slurps.be.
Eigentijdse vegetarische keuken in een plezierig kader, met gevarieerde gerechten in een verzorgde presentatie.

Table d'Amis, Walle 184, 8500 Kortrijk
Tel. 056/32.82.70, www.tabledamis.be.
Zuiver, fijn en evenwichtig werk van een voormalige hobbykok die zich vandaag kan meten met de betere professionals.

La Table de Maxime, Our 23, 6852 Our (Paliseul)
Tel. 061/23.95.10, www.tabledemaxime.be.
Voormalige souschef van De Karmeliet, een toptalent met een verbluffende maturiteit en beheersing voor zijn jonge leeftijd.

Ten Bogaerde, Ten Bogaerdelaan 10, 8670 Koksijde
Tel. 058/62.00.00, www.tenbogaerde.be.
Zoon van een vishandelaar die weet hoe je verse producten uit de zee het best klaarmaakt: zo puur en eenvoudig mogelijk.

La Terrazza, Prins Boudewijnlaan 326, 2610 Wilrijk
Tel. 03/449.92.33.
Italiaanse keuken, blakend van versheid, smaak en zuiderse passie.

Trente, Muntstraat 36, 3000 Leuven
Tel. 016/20.30.30, www.trente.be.
Creatieve keuken van een jonge chef, die aandacht voor het product combineert met een gedoseerd gebruik van nieuwe technieken.

Veranda, Guldenvliesstraat 60, 2600 Berchem
Tel. 0477/18.75.91.
Actuele productkeuken met persoonlijkheid en karakter, in de sfeer van een rumoerig café.

Viva M' Boma, Vlaamsesteenweg 17, 1000 Brussel
Tel. 02/512.15.93.
Nostalgische gerechten uit de Brusselse culinaire traditie, aangepast aan de eisen van een hedendaags publiek.

www.vierbordjes.be